ナポレオンの子孫

梅一輪、一輪ほどのあたたかさが終って——庭のモクレンのつぼみが白くふくらんだ三月下旬の日曜日……

カメの子のように手足をすくめ、ホカホカとした寝床のぬくもりをたのしんでいた隆盛の耳に、

「よく、カビがはえないこと……十時なのよッ」

階段の下から妹の巴絵の、キンキンとした声が響いてくる。

「起きるよ」

ひどく情けなそうな声をだして隆盛は蒲団を頭からかむった。

「三十分前もそうおっしゃったじゃないの」

「今ねえ、シャツを着とる……ところです」

もちろん、これはうそである。うそではあるが従来の経験上、業をにやした妹が階段を駈けのぼり、毛布や蒲団を引きはがしにくるまでに、まだ余裕のあることを隆盛は心得ていた。

日曜日の朝ごと、彼はきまって巴絵から三度の波状攻撃をうける。第一回目は下の廊下からあのキンキン声がなにやらをわめく。なにやら、というのはその言葉がねぼけ耳にはよく聞きとれぬからである。

だがこの時はあいまいな声で「うむ」とか「ああ」とか返事しておけばよろしい。

二度目は威嚇のつもりか、今のように寝室にのぼる階段をトントン足ぶみしながら怒鳴ってくるのだが、これもおびえる必要はあまりない。シャツを着ている最中だとでも答えておく。

「うそじゃないわね。見にいくわよ」

「はい、ハイ」

「見にいくわよ。本当に」

相手もさるもの、そのまま立ち去ろうとはせず、ジッと耳をすまして二階の気配を偵察しているのがこちらにはありありとわかった。

「きてみなさい」彼もひらきなおって、「今、一糸まとわぬストリップですが、いいですか……」

「H!」

第二回目のこの警報がやっと解除されると、手足を思いきり伸ばす。まくら元の煙草を口にくわえる。これは休日の朝だけに限られたサラリーマンのだいご味である。

大手町のF銀行に勤めている隆盛にとっては、日曜日こそは朝寝坊もゆっくり楽しみたいのだが、家にはいささか目の上のタンコブである妹がひかえている。

世間には恐妻という流行語があるが恐妹という言葉はない。まだ独身者の彼には未来の妻の怖しさはよくわからぬが、現実に存在する妹の圧迫感は多少とも骨身にしみている。

会社の昼休みなどストーブをかこんで既に結婚している同僚や先輩がコワそうに細君にたいする恐怖をうちあけるのを耳にする時、隆盛はどこまで本当かいな、と思うのである。極端に言えば恐妻、恐妻と叫ぶのは、ああいう言葉によって女房を懐柔する亭主族の老かいな政策ではあるまいか……第一、コワイと言ったってどんな細君にも最後は夫を許そうとする弱さが心の底にあるではな

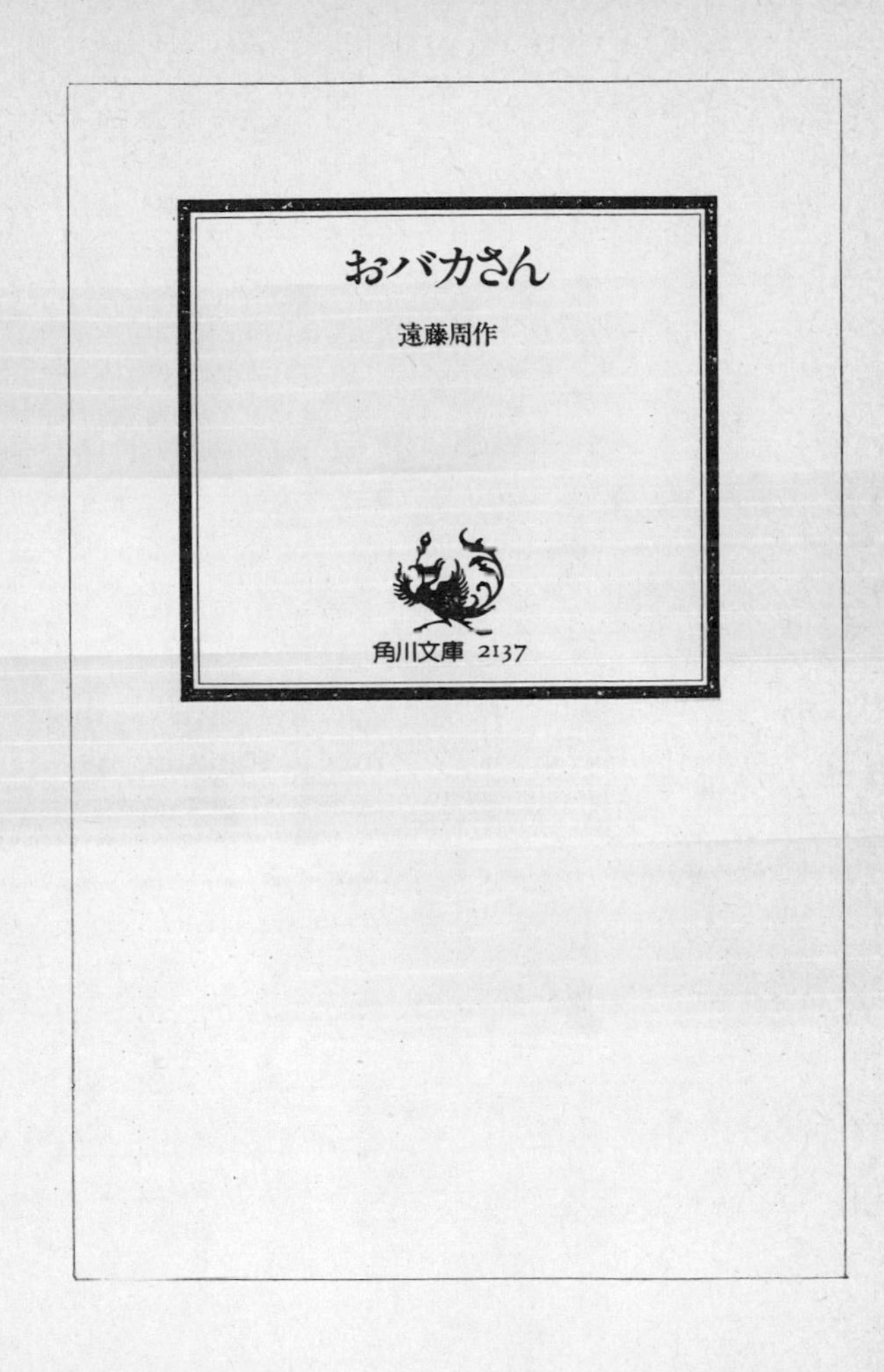

おバカさん

遠藤周作

角川文庫　2137

いか。

そこにいくと妹という女族はちがう。

隆盛の経験から言うと、妹は子供の時から兄貴という男性にたいする、監視人であり、批判者である。特に生意気ざかりの十四、五歳をすぎると、もうイケません。彼女たちは兄貴のどんな小さなアラや失敗でも決して見のがさない。

「お父さまに言いつけるから」

中学生のころ隆盛が、予習をさぼって近所の悪友たちとこっそり遊びにいこうとする時、巴絵は黒い大きな目を光らせてこう威嚇した。屋根にのぼってはじめての喫煙の味をこっそり味わっていた時、だれよりも先にこの犯行をかぎつけたのも妹である。

腕力で脅かしても言うことをきかない。少女のころの巴絵は隆盛にひっぱたかれてもほとんど泣かなかった。

「お父さまに言いつけるから」

そして会社から帰宅した父に事のあらましを二倍、三倍に拡大して報告する。結局いつも損をするのは隆盛の方である。

そんな時、逆にすかしたり、きげんをとったりするとなお大変だ。女というものは子供の時から男にきげんをとられると、つけあがる癖がある。とに角、この妹はなまやさしく取扱えぬ存在なのである。

第一、名前がよろしくない。九州鹿児島の出身で漢学者だった祖父が男の子は西郷ドンのような大人物になるべしと、はじめての孫に隆盛という名をつけた。名は体をあらわさずで、隆盛の場合は一向に豪放磊落な大人物の面影はないが、巴絵の方はあの木曾義仲にしたがった巴御前のように、勝気で、負けずぎらいで、チャッカリで、つまり当世風の近代娘に育ってしまったのである。

兄の目から見ても巴絵は十人並以上の顔だちと思う。あれでも怒ったり、ツンとしたりしなければ可愛いところもあるのだが、いわゆる星を見ては涙ぐみ、スミレをながめてはため息をつくような乙女らしさを妹の性格から発見するのはまず困難である。もっとも小さいころはああではなかった。小さいころは巴絵だって紅葉のように可愛い手をひろげ、

「お兄ちゃま」

六つ年上の隆盛のあとを慕ってヨチヨチ歩いたことだってあるのだ。

それがいつの間にか——この兄貴を軽蔑するようなケシからぬ娘になってしまったのである。

「ああ——世の男性ってみんなお兄さまみたいなグウタラなのかしら。あたし結婚なんか絶対にしないわ」

そんな生意気なことまで言うのだ。

もっともそう言われても近ごろの隆盛は黙っているより仕方がない。早い話がチャッカリした巴絵は生活力においても彼を凌駕しているのである。目白の女子大の時から目さきのきく巴絵はあまり人の勉強しないイタリア語とそのタイプと速記とを必死で勉強していた。英語や仏語を学ぶ女の子は当世ではホオキではき捨てるほど多いが、イタリア語となるとそうザラにはいない。これが巴絵のねらいだったわけだ。

作戦はみごとに当って、女子大を卒業するとイタリア人の貿易会社から、女の子には思いがけぬ

二万円の給料で採用された。もっとも外人会社の常でボーナスこそないが、一サラリーマンの隆盛の給料などより、はるかに上まわっている。

経済力一つとっても、どうも妹には頭があがらない。

3Kという言葉がある。いずれも近ごろの若い娘がもちたいと思っている物の名前だ。一に恋人、二に車、そして第三は当世流行の株だそうな……

ところが現実家で、非星菫派の巴絵はこの3Kのうち、第一の恋人、つまり男性にはまだそれほど興味がないらしい。男という者が、兄の隆盛のように頼りない夢想家であるならば、当分は結婚など致しません――そう宣言するほどの娘だから、会社の男社員も、家に遊びにくる隆盛の友だちも頭からナメてかかっている。もちろん巴絵とて心のうちでは自分をぐんぐんひきずってくれる強い、たくましい男性がいつかはあらわれるのを、ひそかに待っているのかもしれないが、少なくともそうした内心の秘密を兄貴などにもらすようなセンチな真似はしない。

車となるとドライ派の巴絵にはまんざらでもなさそうだが、いま、それくらいのお金があるならば、これをウンと動かして二倍にも三倍にもふやしてから、と計画しているようである。

結局、現在、彼女が目をつけているのは3Kのうち、最後の株。一昔前の女性たちはせいぜい、赤いダルマの貯金箱か郵便貯金の通帳ぐらいしか知らなかったが、近ごろの若い娘は株のスリルに心ひかれている。あのマネー・ビルとかに興味をおぼえはじめている。

毎朝、隆盛と会社に出かける朝食の食卓で、はしを動かしながらこの巴絵がサッと目を走らす新聞のページは、三面記事でも映画欄でもない。ましてこの「おバカさん」というような小説でもない。もっとも実用的なる証券欄である。

そんな妹の姿を見るにつけ——

（だいぶん、ためてやがるんだろうナア……）

あさましくも、哀しくも、隆盛は羨望と慨嘆の入りまじった複雑な気持にならざるをえない。

（こいつ、一体、どんな男と結婚するんだろうか）しみじみ、そう思う。（全く亭主になるやつの顔がみてえよ）

——女子と小人は養い難し——

——燕雀、安んぞ鴻鵠の志を知らんや——

有難いことに古人の作ったことわざというものは男尊女卑の精神に富んでいるから、巴絵に頭の上らぬ時、隆盛はつとめて、昔おぼえた名言を思いだす。思いだしてはわずかに溜飲を下げることにしている。だが如何せん、現実にはこの鴻鵠（大きな鳥）は燕雀（こすずめ）に借金を申込む場合もしばしばあるので、どうも具合がよろしくない。

「血肉をわけた間から……一口よろしくたのみます」

某政党副総裁のような論理まで使って、六つ年下の妹に頭を下げるのだが、

「義理人情はごめんよ」ぴしゃりとやられる。

「この間も千円、貸したばかりじゃないの」

「それがその……行くも帰るも別れては、知るも知らぬも逢坂の関……」

「だめッ。お兄さまには貸せません」

「貸さざれば、貸すまで、待とう、ほととぎす」

こんな押問答の末、巴絵が兄の哀願に応じるとしても、それは必ずしも美しい兄妹愛のためばかりではない。

「いいこと、今度から一週間について利子を一割にしますから」

「そりゃ、ムゴい」

「ムゴいこと、あるもんですか。なんなら別口にお頼みあそばせ」

兄に貸す金に利子までつける以上――

「もう少し、女らしくなったらどうだ」

隆盛も時々、口惜しまぎれに説教してみることがある。「それではお嫁にもらい手もあるまいぜ」

「オヤ……お兄さま。私の選ぶ方をみて頂きたいわ」

「黙って聞きなさい。たとえばだよ……」

「道」というイタリア映画があった。巴絵もたしか見たはずである。隆盛はあれほど妹にとって良き教育映画はないと思っている。

ザンパーノという男に、ぶたれてもけられても、いじめられてもみつがされても、そんな男のあとをトボトボとついていくジェルソミーナとよぶ女。そして最後には冬のわびしい夕日の照る山のなかで男から捨てられて……

人生に対してはチャッカリした身がまえも、損得づくめの計算もない女。今の娘から見ればばかかもしれないが、このせつない心がジェルソミーナをいつのまにか、美しい聖女にたかめていったではないか。女が男よりすぐれた心情の持主ならば、それはジェルソミーナのような場合においてである……

かように一席ぶったあと、隆盛は感動した妹が、もしや涙ぐみでもするのではないかと、

「いいかね」ことさら、荘重な調子で、「人生には損することも必要だよ。むだも大事。巴絵にはそれがない」

それからソッと相手の顔をうかがうと、これはどうしたことであろう、巴絵はおかしそうにケラケラと笑いはじめるだけである。

「要するに唐人の寝言ね。時代遅れよ。男に都合がいいだけ、そんな考え」

「なぜだね。ジェルソミーナでわからなければ、山内一豊の妻の話でも……」

「もう沢山」

上につんと向いて、ひきしまった小鼻にピクピクと勝利感を漂わせて、もう、てんでジェルソミーナ的女性観を一笑に付している。

この上向きの巴絵の鼻がよろしくない——そう隆盛は思う。彼女自身はあのソフィヤ・ローレンとかいう女優の鼻に似ていると内心、御自慢らしいが隆盛には気にくわない。少女のころにはここに小じわをよせて彼にアカンベーをした鼻である。娘になってからはさすがにそんなはしたない真似はしないが、男性や社会や人生に驕慢不遜(きょうまんふそん)な感情をこの上向きの鼻はいっぱいに示している。

(今にその鼻がへし折られるぞ)

キュッとつねってやりたくなる。だが隆盛につねられれば、二倍、三倍の強さでつねりかえすのが巴絵なのである。

こんな事情で……

日曜日の朝、みのむしのごとく蒲団にくるまった隆盛が妹のキンキンとした声に、なぜ空井戸の底からひびくような返事しか出せぬのかである。

第二回目の警報が解除されて、彼がこっそりと朝の煙草を二本、喫い終った時、ふたたび、廊下でスリッパの音がパタ、パタ、パタと烈しくきこえてきた。

（それ、来襲……）素早く煙草をもみ消す。まくら元の下着をつかむ。

だが、どうしたのであろうか。巴絵はふしぎに大声をあげず、

「お兄さま」しずかに階段をのぼってきたのである。

隆盛はあわててシャツに首を入れたが間に合わなかった。

朝日のいっぱいあたった障子をサッとあけて——

真白なセーターを着た巴絵は腕を胸に組んだまま、キツい目で見おろしている。

「イヤ……清宮様、御婚約、おめでとう」

つじつまの合わぬことを口走りながら、隆盛は下着のボタンをはめようとしたが、奇怪にも胸もとのボタンがないのである。

「うしろ前よ」

皮肉な笑をほおにうかべて巴絵は兄の一挙一動をジッと観察していた。

「えっ」

「うしろ前にシャツを着てるじゃないの。ボタンがないの……当り前だわ」

「わかっとる」

バツが悪いから、隆盛は視線をそらして窓の外に顔をむけた。

「お兄さま……」

「なんだ」

「清宮も御婚約だけど、お兄さまも御婚約？……」

寝床の上にあぐらをかいて、隆盛は横目で妹をうかがった。黒い大きな目にも、例の上向きの驕慢な小鼻にもピクピクと人を小ばかにしたような気配がただよっている。

「保名春子さんって、どなた」

「春子……知らんなあ」

「本当かしら」

疑いぶかい女である。唇を少しゆがめて、じっと隆盛の表情を見つめている。

実際の話、そう見つめられても隆盛には保名春子なぞという名前は全く記憶がない。ガール・フレンドとはまことの女友達を呼ぶのか恋人をさすのか、近ごろ、判然としない世の中だが、今日のような日曜日、電話をかけてくれる女友達一人さえいない隆盛である。

「おれがその……春子さんとやらと、どうか、したと言うのかね」

「さあ……そりゃ、どうだか存じませんけど」巴絵はニヤッと笑って、

「たった今、シンガポールの春子さんから分厚いお手紙がきたわよ」

「シンガポール？」

隆盛はポカンと口をあけた。春さきの陽気で妹の頭が少し——手をつけた株が暴落して——おかしくなったのではないかと思ったほどである。もとより、シンガポールには一度も行ったことはな

し、ましてそんな遠い町の女性など、夢の中でも交際したおぼえもない。

「おい、その手紙、見せてみろ」

「ただであげられるもんですか。先月の貸金と引きかえてよ」

「冗談じゃない。本当に知らないんだから……」

さすがに巴絵も隆盛の表情がまんざらうそではないとわかったらしい。それでもまだ疑いっぽい目でこちらをジロジロと見ていたが――

真白なセーターの中に手を入れて一通の封筒をとりだした。

たしかにシンガポールから発送した手紙である。上書きにはタイプで打ったローマ字だが、これもＴＡＫＡＭＯＲＩ　ＨＩＧＡＫＩと書いてある。

裏をかえすと……

保名春子（瓦斯トン）

何が何だか、隆盛にはさっぱり、わからない。

「ひでェ字だなあ……」

裏をかえして、隆盛は思わず愕然とした。全く、ひどい字である。いやしくも女性と名のつく人の水茎の跡うるわしい手紙ならばたとえ間違って舞いこんできたにせよ、胸もときめこうが――

この保名春子なる金クギ流ともミミズ流ともつかぬ書体。色気も味もない悪筆は一体どうしたことか。小学生の鼻たれでさえ、かくも下手くそな文字はまず書けないと思われる。……

「だれかの悪戯かね。いや悪戯にしては四月一日まで、まだ、二、三日はあるし……」

「とも角、開くことよ。内容を読むことよ」

「うむ」

そう、巴絵にせつかれて、思わず封筒の口を破りかけたが、

（待てよ……）

疑惑が一瞬、心をかすめた。というのは——つい先だって読んだ推理小説のすじ書がヒョイと胸に浮んだからである。あれは一人の女が犬コロのように自分を捨てた男に復讐する話だった。彼女は封筒の口に、マレー半島でとれるアセホソリンという劇薬をぬりつける。開封する男の指にその毒がしみこむのをねらったのだ。

「巴絵……シンガポールはマレー半島だったね」

「当り前じゃないの」

「アセホソリンの毒薬……」隆盛は声をひそめた。「ねえ、君、開きなさい」

「アラ、なぜ……」

「なぜって要するに……おれ、この春子さんなんて女性は本当に知らないんだからね。さっきから根も葉もない疑いをかけられて、迷惑だよ」隆盛はひらきなおった。

「開いてもらいましょう。ハッキリ目の前で開いてもらいましょう」

「切られ与三みたいなことおっしゃるじゃないの」

上向きの鼻で巴絵はフフンと笑った。フフンと笑ったが好奇心という女性特有の心理が、やっぱり真白なセーターに包んだ胸のなかでうずきはじめたらしい。

「本当に開いていいの」念を押しながら桃色のマニキュアをつけた指をヘビのようにソロソロッと動かして、「じゃ、拝見するわ」

「声をだして読んでみろ。こっちは潔白なんですから……全く近ごろの娘は猜疑心と嫉妬心が強いから困る」

隆盛は巴絵が封筒の口を丁寧に切り、中からレター・ペーパーを出すのをじっと見ていた。どうも、この様子では別に毒薬もしみこませてはいないらしい。四つに折りたたんだ便箋は航空便用のすき通った、うすい紙である。

「なんて書いてある？」隆盛とてこの手紙に興味がないわけではないから、妹の背中から首をさしだした。

カメの子が一列縦隊でぎっしり日なたぼっこをしているように幾列にも並んでいる。虫めがねで拡大しなければわからないほど細かく、小さく、ぎっしりと——

「読むわ」

「はい」

「ハイカベ……」

「えっ」

「ああ、これは拝啓のつもりだわ。啓という字を壁にしているの」

「なるほど」

「ハイカベ……やっと股がみつかり……なに、これは」

巴絵は顔を真赤にして悲鳴のような声をあげた。

漢字が制限された結果か、それとも戦争中の粗雑な教育のためか、ちかごろの青年男女は誤字、脱字を平気で書くとか……

ある青年が先輩に送った手紙に、

「小生、似前として……」と書いた。

「君、こりゃ、依然として、の間違いじゃ、ないかね」

先輩にそう注意されると、彼、キョトンとして、

「でも先輩……イゼンとは前に似るの意じゃないですか。だから似前でしょう」

そう抗弁したという話である。

漢学者の祖父をもつ隆盛や巴絵も、若い世代には違いないから、漢字の方には至っておヨワい。そのおヨワい彼等もさすがに保名春子なる女性の手紙をみて、おびただしい誤字、脱字に仰天してしまったのである。

誤字、脱字だけならよい。真意不明の表現にあれこれ首をひねる兄妹の努力は、古代の象形文字を判読した考古学者のそれに少しも劣らなかった。

「もう……読むのイヤ」

ハイカベ、股をみつけ——冒頭の一句からして、げに年ごろの娘が朗読するにたえない表現であろう。顔を赤らめた巴絵がキタないものにでも触れたように手紙をポイと放りだしたのは無理はない。

「おい、かしてみろ」

今度は好奇心にかられた隆盛がレター・ペーパーを拾いあげて、じっと考えこむ。

「アッ、ハッ、ハ、わかったよ」

「なにが？」

「股じゃない。暇をみつけ、だ。こりゃみごとに間違えたもんだ」

「みごとなもんですか。ひどいわよ」

「ひどいかね」

真顔になって隆盛は寝床の上にあぐらをかいたまま、手紙に目をおとした。

静かな日曜日の午前である。隆盛たちの家は都心から大分はなれた世田谷・経堂の住宅地にあるが、この辺は春さきになると庭に小鳥がとんでくる。その小鳥の小さなさえずりが二階の窓のむこうから聞えて――

下の勝手口で女中のマーちゃんが御用聞きと何かを話しこんでいる声以外には、家の中にはカタリという物音もしない。

あかるい陽が隆盛の顔にあたっている。巴絵は手紙を読んでいる兄の表情がいつのまにか、ひどく真剣になってきたのに気がついた。

「どうしたの……」

すると隆盛は急に顔をあげて大声で叫んだ。

「こりゃあ、大変。フランスの青年が……ここにやってくるんだぜ」

「なんですって？」

「イヤ、冗談じゃない。その上……その男はナポレオン皇帝の子孫なんだ」

屋根の小鳥がチ、チ、チッと鳴いてどこかに飛び去った。勝手口で御用ききと話をしていた女中のマーちゃんの声もきこえなくなった。

「脅かすのはよしてよ」

「なに言ってるんだ。本当なんだ」

隆盛はあくまで真剣な顔つきだった。

「信じられないわよ」

「それどころじゃない。彼はもうシンガポールを発ってるんだ。あと二十日もしたら横浜につくんだぜ」

「横浜に？……一体なんの話なの」

「それが……君もおぼえているだろ。八年前、おれが外国のペン・フレンドと文通していたのを……」

確かにそういうことがあった。戦争が終ったあとで、隆盛はまだ学生だったが、殊勝にも語学の勉強と切手の交換と称して海の向うの外国少年たちと手紙をとりかわしていたのを巴絵もおぼえている。

「でもどうしたと言うのよ。かんじんの保名春子は……」

「保名春子じゃない……ここを見てくれ。ここを」

隆盛はレター・ペーパーを巴絵の目の前にさしだした。

なるほど、指さされた最後の行にはあの日なたに並んだカメの子のような悪筆が……

（僕ノ名ヲ日本字デ畫キマシタ。保名春子、瓦斯トン）

畫キマシタは、書キマシタの間違いであることは巴絵にはすぐわかったが、この瓦斯トンというのは——

「ガストン・ボナパルト。家族の名がボナパルト。彼の名がガストン。この男、日本人はみんな女のように名前の最後で子をつけると錯覚したにちがいないんだ……」

隆盛は先ほどの恨みもあるのか、情けなそうにつぶやいた。

「パリの東洋語学校で二年間、日本語を勉強したと書いてあるがね。どうして日本に来る気になったんだろう。そう言えば八年前、おれと文通していたころから……日本づいて、いたがなあ……なんでも伯父さんが神戸にしばらくいて、帰国してから彼に日本熱を吹きこんだらしい」

「見物で来るの。商用で来るの」

「それが……何にも書いてないんで、おれにもわけがわからん」

それから隆盛は巴絵の顔を見てシンコクな顔をした。

「こりゃ、お嫁さん探しかもしれないぜ……いつか南米から大金持のお爺さんが日本人の花嫁探しにやって来たろうが。巴絵ガンバってみなさいよ」

「下劣なこと言わないで頂戴」

「でも、相手は英雄ナポレオンの子孫だぜ。あのころ、ボナパルトという彼の名をふしぎに思って手紙でたずねたら……そうだと返事して来たような気がするから」

「ナポレオンが何よ。ファシストの元祖じゃないの」

「おい、どうしよう、この男を……」

「ともかく、母さまに相談するわ。見もしらぬ外人を家に泊めていいかどうか、お兄さまの一存だけじゃいきませんからねッ」

ナポレオンの子孫が日本にくる――。

それもほかならぬ隆盛と巴絵との家を頼って……

これはたしかに春の日曜日、ささやかな一家庭に舞いこんできた青天霹靂のニュースにちがいなかった。

巴絵がダ、ダ、ダッと機関砲のような音をたてて階段をかけおりると、着物をひっかけた隆盛が帯をひきずりながらそのあとを追う。

「母さん、一大事」

母の志津は庭に面した八畳で隆盛たちの父親が愛用していた黒檀の机にせっせとからぶきんをかけていたが、

「なんですね、そうぞうしい」

図体だけは大きいのに何時までたっても子供っぽい隆盛の顔を老眼鏡のうしろから見あげた。

医者で医大の教授だった亡夫、亮吉が死んでから六年になる。巴絵がまだ東洋英和の生徒で、隆盛がどうにかこうにか落第もせず大学を卒業できる直前に脳溢血で倒れたのだが……

爾来――

志津は昔と同じように自分の手で亡夫の書斎の本だなをぞうきんでふき、本のちりをはらい、黒檀の机をからぶきんでみがくことを毎日、欠かさない。これだけは巴絵にも女中のマーちゃんにもまかせないのである。

「それがそうぞうしいんじゃないんですよ。母さん」

「帯」

「え？」

「帯がとけてますよ」

母に注意されて隆盛は畳にひきずった帯を腰にぐるぐる巻きつけながら、

「今、巴絵に話したところですが……ほんとに大変なんスから。……」

シンガポールからきた航空便の一件を声をはずませながら説明した。

「僕としてはですよ、母さん。昔のペン・フレンドだった僕を頼って日本にきたんだから一家あげて歓迎すべきだと思うんです。日本の家庭を知る。僕らと一緒にミソ汁を飲み、タクアンをたべる、それで結構だと思うんです」

「お前、やぶから棒に言ったって……」

「でも、母さん、窮鳥、懐ろに入れば」隆盛は怪しげなことわざをヒレキした。「狩人もこれを殺さず」

「窮鳥はいいけど、どうお世話するんだい。たとえばお手洗だって……うちはまだ水洗じゃないんだからねえ。外人のお方って日本便所はおイヤなんだろう……」

平生は息子と娘のわがままをたいていはきいてくれる母親だったが、見も知らぬ外人を泊めるとなると流石に当惑した表情である。

「それに、……うちには年ごろの巴絵もいるんだしね……」

「人物は僕が保証しますよ、人物は。なにしろナポレオンの子孫ですから。巴絵ごときには見むきも……」

ここまで言って隆盛は思わず口に手をあてた。

主人公登場

東京駅前、Mビルの中にあるビュタフォコ貿易商社のオフィスで、巴絵はいつになく仕事に身がはいらない。

平素ならば一分間、七十語はうてるタイプだが、今日に限って四十語——五十語というのろさである。

「シニョリーナ・ヒガキ、どうしましたか」

時々、社長室からオフィスにやってくるビュタフォコ氏が、ぼんやり窓を見つめている巴絵に向って心配そうに声をかけた。

「病気ですか」

「いいえ」

あわててタイプのキイをたたく。だが、それも束の間、頭は昨日の出来ごとに向きあってしまうのである。

あと三週間で、フランスの青年が横浜につく。母の志津ではないが彼を家に泊める以上、それ相応の準備もしなくてはならない。隆盛は例によって、ミソ汁にタクアンで結構なんだと無責任なことを言っているから、頼りないことおびただしい。

(結局、こちらに全部、苦労がかかってくるんだわ。お兄さまって本当にチャランポランなんだ

から）

そう思うと兄の口車にのって、見も知らぬ外人青年なぞを家に泊めることに同意してしまった自分にまで、腹が立ってくる。

「ねえ、大隈さん」巴絵は同じオフィスにいる大隈青年に声をかけた。

「伺いたいことがあるの」

「なんでしょう」

ふちなしメガネをキラリと光らせた大隈卓彦はハンカチを口にあてながら近よってきた。

彼は巴絵よりも二年前にこのビュタノォコ商会にはいった男だった。なんでも旧華族の大隈男爵の孫だとかで、体はイカナゴのように細いが、兄などに見習わしたいほど身だしなみがよい。タイプにうつ書類を受けとる時など、女のような言葉づかいさえするのである。巴絵は内心、見くびってはいたが、彼のダンスは定評があるので一緒に踊りに行ったことも度々あった。

「大隈さん、旧華族のお孫さんでらっしゃるんだから、こんなこと御存知かしら」

「華族だなんて……」大隈は女のような声をだした。「でも……なんでしょう」

「ナポレオンの子孫って、本当にまだいるの？」

「そりゃ、いることはいるでしょうねえ」

「何をして生活してるのかしら」

「さあ……そりゃあ、知りませんけど。巴絵さん、急になぜナポレオンなんかに興味お持ちなんです……」

「いいのよ……」

巴絵は目をつむって昔、歴史の本で見たナポレオンの肖像を思い出そうとした。白いチョッキを着て、その真白なチョッキに片手を入れて胸をはって……

（あんな男かしら……）

なんでも、ナポレオンは非常に背が低い醜男だったそうである。

おひるの宮城前広場は――

朝三時間の勤務からやっと解放された丸の内サラリーマンがひと息いれる場所である。

みどり色にもえはじめた芝生の上に寝そべって、なにやら雑談にふけるグループ。あかるい声をたてながら、バレー・ボールを投げあう若い女子社員の群。

それをまたポカンと口をあけながら見物している御仁。

柳の芽のすっかりふいた堀ばたにしゃがんで水の面をながめている恋人らしい一組もあれば、鼻毛をしきりにぬきながら、その鼻毛の色と水にうかぶ白鳥の色とを比較検討している者もある。

「とに角、スゴかったね。西鉄の猛打、火をふくとはあのこった。まず大下が右翼にガーンとたたきこみやがって……」

「うん」

「堀内はあわてたさ。あわてたところを次に和田と仰木に、また本塁打、完全なるノックアウトだよ」

「うん」

「おい、君、聞いていないのか……」

同僚の飯島は昨日の日曜日に後楽園で見物してきた巨人・西鉄オープン戦の模様を口角アワをとばして説明しているのだが、隣りにねころんでいる隆盛は真青な空の一点を見あげたまま、頼りない受け答えをするばかりである。

「どうした……気分でも悪いのか」

「いや」

「まさか、おれたち独身連盟を裏切って結婚するんじゃなかろうな」

「いや……結婚はまだせんが」

飯島は膝をかかえて、少しまぶしそうにバレー・ボールに興じている女子社員たちのグループをそっとうかがった。

春になると隆盛たちチョンガー社員は急に若い女の子たちが気になってくる。オーバーをぬいで、スーツをとって、ワンピースから白い腕をみせられると、まるで可愛い花がひらいたような新鮮さ。いつもなら隆盛も学生時代からの仲間であるこの飯島と、あの花、この花、キョロキョロと拝見するのだが、今日ばかりはそれどころではない。

ポケットの中には今日、銀行の執務時間の間、ひそかにメモをとったナポレオンの系図がはいっている。銀行の図書室から借りてきた「英雄・奈翁伝」に書いてあったのを写しておいたのである。

それによると——

ナポレオンの父と母とは産児制限を禁じるカトリック教徒だったのであろう。いや、はや、大変な子沢山である。ナポレオンの上には一人の兄のジョセフ、下には六人の弟妹、合わせて八人の子供が生れている。弟だけでもルシアン、ルイ、ジェローム、妹はエリザ、ポリーヌ、カロリーヌ。

するとニ週間後にやってくるガストン・ボナパルトはこの八人とどういう関係なのだろうか。ナポレオン自身の直系か、それとも他の有象無象の子孫か。わけがわからなくなってくる……

「へえ、外国人がねえ……」

魚屋の正介こと、正さんは魚の名を書きつらねた平板でパタパタ首をたたきながら、

「すると、どうすんだい。相手が異人さんなら用事をきくにしろ日本語じゃねえんだろ……あんたも英語の一つ、二つは知っていなくちゃあなるめえな……」

「知っているわよ、英語ぐらい」

女中のマーちゃんはムッとしてながしのサラをガチャガチャとさせた。

「そうかねえ」

「なんでえ、そりゃ……」

「フィッシュマン、バック」

「へえ——こんな英語もわかんないの」手を動かすのをやめたマーちゃんは正さんを冷笑した。

「フィッシュマン、バック、魚屋、おかえりッて言うことよ」

「なるほど、おれがフィッシュマン」正さんは黙りこんでしまったが、

「帰ることは帰るがね、今日の注文、まだきいていなかったよ」

「なにがあるのよ」

「さわらの新しいところがはいってるが……どうだい……」

「いくら」

「切身で四十円」

「たかいわね」

台所の上り口でマーちゃんは腰に手をあてると、正さんにきびしい顔をした。

「これから外国人のお客さんが家にくるのよ。そうすれば、どうしたって、肉屋の注文が多くなるわよ。今のうちからチャンとサービスしておかなくちゃだめじゃないの」

「脅かすねえ……」

正さんはねちまきをとって額の汗をふいた。

「お前さんにはかなわねえよ……」

「だって、そうじゃないか。あんた、外国人は肉ばかりたべることを知らないのね」

「しょうがねえ、三十五円にまけとこう……」

鉛筆をなめなめ、通い帳に注文を書きこんで、

「だがねえ、また、どうしてその外人さんはお宅に泊るんだい」

「だから言ってるじゃないの。若たんな様のむかしのお友達だってさ」

「へえ……友だちなら泊めるのも無理はねえな。そう言えば、交番ちかくの森さん、あそこにもね、異人さんが部屋をかりてるね。英語を教えてるっていうじゃないか」

「そんなんじゃないわよ、うちのは」

マーちゃんは声をあげて正さんをしかりつけた。

「うちのはナポレオンの子孫ですからねッ。森さんなんかのと一緒にしないでよ」

「ナポレオンさん？」

「へえ、ナポレオンさんもあんた知らないの。話にもならないわねえ」

「ねえ、日曜日、映画に一緒に行かねえか」

「だめ。あたしはね、お嫁にいくまでは男の人とは歩かないんですから……用がすんだらさっさと帰ってちょうだい」


海、青い海——

隆盛一家にまきおこした波乱をよそに、一万五千トン、真白なフランス船、ベトナム号はおだやかな航海をつゞけている。

サイゴンで荷をつむため、三日間、停泊していたが、夜出航すると翌々日の黄昏はフィリピンのマニラである。

真赤な夕焼け雲が湾の空を焼いている。大きい雲、小さい雲、さまざまの形をした雲は炎という言葉がふさわしいほど、燃えながら空に散らばっていた。空も赤い。海も血のように赤い。

甲板にもたれた乗客たちもしばらくの間、言葉も出ぬほど、この夕焼けのマニラ湾のうつくしさに圧倒されていた。だが船が湾にはいるにしたがって、海中から林のように突きだした帆柱を人々はみた。これはあの戦争でふかい海の底にしずんだ日本輸送船のかなしい残骸だった……

マニラから香港までは二日——

海は朝は真珠のようなかがやきをおびる。まひるは銀色に光る。飛魚が群をなして波間をかすめるのが甲板からみえる。

一月ちかい船旅のあと、人々はながい航海にもうすっかりなれていた。

ベトナム号の客の大半は香港でおりるので、デッキ・チェアに腰かけた人々の中から名残り惜しそうな会話がきこえるのも、旅の終りを感じさせる。

残った客は言うまでもなく横浜で下船をする人たちである。その客たちは帰国する日本人の留学生や海外視察にでかけた実業家、それから数人の外人司祭や修道女だったが、今度のベトナム号には有名な映画女優の夫妻もまじっていた。

午後の海は少し退屈で少しけだるい。昼食をすませた客たちはおおむね、キャビンにとじこもって三時のお茶まで午睡にふける。白い炎のような光が円窓にゆれうごいて、海風がバタバタと救命ボートの覆いをならしている。ガランとした甲板のとうイスには人影もない。その甲板にちらばった輪なげの道具をボーイがひろい集めながら通りすぎていった。

夕暮になるとこみはじめる酒場にも客はいない。白服をきたフランス人の給仕が一人だけせっせとコップをみがいている。

午後二時、ねむそうに目をしばたたきながら日本人留学生が煙草を買いにきた。

「二百フランでおつりですね」年とった丸顔の給仕は、みどり色の袋にはいったフランス煙草ゴロワーズを二箱わたしながら、

「ヨコハマまでもう一週間……満足ですか」愛想よくたずねた。

「もちろんですよ」と留学生はうなずいた。「僕あ、船酔いがこわかったんだけど、今度は海が随分しずかだった……」

「海というものはいいですよ。わたしは海の風がすきだ」老給仕はしんみりとして言った。「陸には人間の悲しみが多すぎる。どんな見しらぬ港に行っても、そこにいる人の顔は暗く、寂しそう

です。でも海に出るとブロンドの海風がそれを消してくれる……」

船は香港から横浜まで直行する。本当にあと一週間足らずで日本の山と島が見えるのだった。


ガストン・ボナパルトが横浜に到着する四月のある日が遂にやってきた。

「いよいよだね」

前日の夜、母親の志津もさすがに感慨ぶかげに言った。まるで遠くから自分の子供が戻ってくるような口ぶりなのは、この一週間のあいだ、迎える客のために客蒲団をなおしたり、新しいシーツを買ったり、その食事のことを考えたり、懸命に心を費やしたためであろう。

「お前、新しい枕カバーは買っておくれだったかい」

「ええ……」巴絵はうなずいたが、

「でもお母さま、そんなにまで気をつかうことはないと思うけどナア……第一、なんのために日本にくる人なのか、さっぱりわからないんだし……いくらお兄さまのペン・フレンドだったにしろ、滞在中ずっとお世話する義務なんて、こちらにはないわ。……外国人に必要以上のサービスをするのは日本人の悪い癖よ」

「そりゃ、そうだけど……せっかくいらっしゃるんだからね」

「でも一体どんな人なのかしら。ガストンさんて……」

巴絵はラジオのウェスタン・ミュージックを消しながら、この三週間、あれこれと頭に描いてみた客の面影をもう一度つかまえてみようとした。

どうもさっぱりわからない。実は兄や母には黙ってはいたが、巴絵も巴絵でナポレオンの肖像を調べるため、日本橋の丸善に出かけてみたのである。ナポレオンに関する本は幾冊かあったが、そのなかに出てくる英雄は上野動物園に飼われているハゲタカのように威張りくさった小男で、

「ミリキがないわ……」

遂に買わずに戻ってきたのである。

古い映画雑誌を調べてみるとシャルル・ボワイエとダニエル・ジェランがナポレオンを演じている。

（まさかダニエル・ジェランほどじゃあるまいけれど……）

やっぱり気にかかる。ハゲタカとダニエル・ジェランとが幾重にも重なって肝心の男の面影は一向につかめない。

「どうしたんだろうねえ、……隆盛は……」

母の志津は心配そうに柱時計を見あげた。すでに十一時だというのに、例によって隆盛はどこをどう飲み歩いているのか、まだ御帰館にならないのである。

「無責任だわ。自分のお客が明日、到着するというのに」

「明日ということは隆盛だって知っているんだろう……」

「もちろんよ。今日、船会社に入船許可の紙をとりにいくと言っていたんですもの」

港に船がはいっても、迎える連中は勝手に中に乗りこむことはできない。船会社から船内にはいる紙をもらっておかねばならないのである。

「明日は晴れるかねえ……」

「ラジオではそう予報していたわ」

隆盛がやっと帰ってきたのは真夜中をすぎていた。

「船は朝の六時につくのよ。起きられなかったらどうするの」

巴絵になじられたが、相変らずノン気な顔をして、洗面所で大きな音をたててうがいをしながら、

「なあに、税関や検疫で、ほんとうに客がおりるのは十時ぐれえだよ。いそぐことはありますかいな」

頼りないことおびただしい。

四月×日、日曜日の朝がきた。

窓のむこうがしらみはじめて、屋根でスズメがさえずる時刻になると、志津も巴絵ももう目をさましていた。

ベトナム号は六時に横浜港につくはずである。昨夜の隆盛の説明によると、実際には乗客たちは検疫や税関の関係で十時ごろにならなければ下船しないとの話だが——

ノンキ者の兄の言うことだから、どこまで信用してよいのかわからない。その隆盛は一人白河夜船である。

七時——

たまりかねた巴絵が二階にかけのぼってやっとたたき起したが、まだ寝ぼけ眼をこすりながら、

「まずまず一プク」枕元の煙草をプカプカとふかそうとする。そのえり首をネコの子のようにつかんで、やっと下に引きずりおろした。

「何時ごろガストンさん、ここにいらっしゃるんだね……」

母の志津にきかれても、生あくびをかみころして、朝御飯をモソモソたべながら、

「なあ、巴絵……横浜までの電車賃、だしてくれるだろうな」情けないことを言っていた。

八時――巴絵は先だって作ったばかりのブルーにこまかい白のはいったジャージの洋服に着かえ、これも真白な帽子をかむった。

「いやあ、これは御美麗」

隆盛が見えすいたお世辞を使ったのは、横浜までの電車賃を妹にださせようというコンタンであろう。

「元旦や、わが妹にチョット惚れ……」

その兄にYシャツを出し、ネクタイを渡し、背広を着させて、肩を押すように家を出た時は八時半をとっくに過ぎている。

経堂からバスで渋谷、渋谷から東横線で横浜まで四十分はかかる。

「間にあうかしら。十時半になっちゃうわ」

巴絵は腕時計を見ながら気が気でない。

電車が横浜に近づくにつれ、船と港とが窓の遠くに見えはじめてくる。海は青く空も晴れていた。

「どの船……」

「ここからは見えないさ」隆盛はあごをなでながら答えた。「外国船はメリケン波止場につくんだからな」

「駅から波止場までどのくらいで行けるの」

「さあ……市電で半時間だろうね。あれはノロノロだから。おれ、金がないからね、歩いたって

いいんだよ……おれは……」

今日という今日は隆盛を相手に口争いをしている心の余裕もないから——

口惜しかったけれど巴絵が桜木町の駅からタクシーを奮発すると、隆盛はニヤリと笑って、

「やっぱりタクシーは心地よいもんですなあ」

車の窓からやがて塩をふくんだ風のにおいが流れこんできた。新しく建ったシルク・センターの横を車はまがって、外国船のつくメリケン波止場に向う。

みどり色の大きな外国船がもう岸壁についていた……

「大変よ。お兄さま、もう着いているじゃないの」

タクシーからとびおりると巴絵は思わず声をあげたが、このみどり色にぬった外国船はジェプセン・マルクス号というオランダのタンカーだった。そしてそのうしろに日章旗をだらりと垂らした八、九千トンの日本船「さんとす丸」が一隻荷を積んでいるだけだった。

「たしかにこの埠頭なのね」

「たしかだよ。……昨日、船会社でもそう言っていたもの」

巴絵も今まで米国に留学する女子大時代の友だちを送りに横浜港に来たことが二、三度ある。その時もこの岸壁から船が出た。まずは間違いないと思うが、まだ不安である。

「いないわ。ベトナム号なんて……」

「おい、巴絵、あっちらしいぜ」

隆盛は手をあげて、そこから鈍色の海のひろがる岸壁の突端を指さした。

なるほど、その付近には四、五十人の男女が海をながめながら集まっている。人々の間から吹奏楽の音さえ風にのってきこえてくる。

「フランス船のベトナム号……あそこに着くんでしょうか」

念のため巴絵は通りがかった赤帽にきいてみた。

「そうだよ」

「随分、遅れて着くのね」

「検疫に暇どったらしいやね」

隆盛と巴絵とが出迎えらしい人々に近づくと、ふたたびラッパの音が人々の中からきこえはじめた。紺の制服を着て白いモールをつけた警視庁の吹奏楽団が二列にならんで「クワイ河マーチ」を演奏しているのである。

「たいへんな人じゃないか」

隆盛もさすがにびっくりしたらしいが、急に群衆の前列に目をとめて、

「巴絵、みろよ、みろよ」

花束をかかえてはなやかな訪問着をきた女優らしいお嬢さんをカメラマンが右、左から写真をとっていた。そう言えば新聞記者らしい人たちの姿も四、五人みえるのである。

「こりゃあ、みなガストン君を歓迎する連中じゃないだろうね」

「なに、言ってるの」だが巴絵もなんだか胸がドキドキしはじめてきた。

「だって、ナポレオン皇帝の子孫だぜ、相手は……新聞社や吹奏楽団が歓迎にきてもおかしくはないよ」

まさか、とは思うが、そう隆盛に言われれば、ヒョッとするとという気持にもなってくる……

(本当にどんな人なのかしら……)

突然、遠い防波堤のむこうから巨人のあくびのような汽笛がひびいてきた。

「みえたぜ……」

一万五千トン、真白なフランス船、ベトナム号が二隻のパイロット・ボートに先導されてゆっくりと港内にはいってきたのである。ボートの煙突の上をカモメが白い翼をひるがえしながらかすめていく。

今まで休憩していた吹奏楽団が「クワイ河マーチ」をふたたび高らかに演奏しはじめた。

やがて——

甲板のてすりに小鳥のようにならんだ船客の顔が次第にハッキリと見えはじめた。観光団の外人たちにまじって、体をのりだすようにして帽子をふっている日本人の青年がいた。すみの方にかたまって岸壁を見おろしている修道女たちの姿も見えた。吃水線にちかい円窓から紅毛の船員が首を出している。どの顔もうれしそうに、ほころんで、笑って……

船がしずかに接岸するにつれ、出迎えの群衆も手をふりながら移動しだした。海鳥だけが哀しい声をあげながら、もう用のなくなったパイロット・ボートの上を白い翼をひるがえしてとびまわっている。

「ヘコちゃん」

「こっち、向いてえ……」

隆盛の周りから若い女の子の金切り声がしきりに炸裂した。カメラをもった新聞記者たちも船にむかって駆けだした。

にぶい隆盛はこの時になって、やっと、有名な映画女優、高峰ヒエコ夫妻が船にのっているのに気がついた。そう言えばてすりの真中あたりに手を少しあげて、上品に微笑んでいるのは隆盛も見おぼえのある高峰ヒエコの顔だった。

「ヘコだよ。ヘコちゃんがのってるぜ」

目をかがやかしながら彼は妹をつついたが、巴絵は顔を横にむけて返事をしなかった。なんだか口惜しいのである。

あまたの出迎え人も新聞記者も花束をかかえたお嬢さんたちもガストンのために港にやってきたのではなく、著名な映画女優を迎えにきたのだとハッキリ見せつけられると——こんなことは初めからわかっていたのに、なんだか、やっぱり……軽い失望とも無念さともつかぬものが勝気な彼女の胸にこみあげてくる……

「ガストンさん、どこにいらっしゃるのかしら」

「さあ……」隆盛はあいかわらず船中の女優の方向をくい入るようにながめながら、「相手の顔を知らんからなあ……」

クレーンをのせた大きなトラックが船の出口に昇降台を引っぱってくると群衆がその方に走りはじめた。

出口にはもうトランクを下げた船客たちが待ちかまえている。

人々に背を押されながら隆盛と巴絵もタラップの下にならんだ。

最初、タンカにのせられた病人が二人の看護人に伴われてゆっくりと運びおろされた。それからあから顔の背のたかい外国の老人が手をふりながら昇降台をかけおりた。彼がガストンではないことはその年齢から言ってもすぐわかった。そのあとからあたらしい背広を着た留学生の青年が、

「ケンちゃん、ここよ、ここよ」

家族の一群に声をかけられてなつかしそうに迎えられる。続いて、キリスト教の修道女たち、日本人の紳士、外人の男女の一群……

二十分ほどの間……

こうして次から次へとおりてくる船客の顔を隆盛と巴絵はむなしく昇降台の下から見あげていた。新聞記者も花束をもったお嬢さんたちも、女優夫妻を迎えるため船にのぼってしまった。もうおりてくる乗客は一人もいない。だがガストンらしい外国青年はどこからも現れないのである。

警視庁の吹奏楽隊も楽器をしまって引きあげた。握手したり、抱擁したりしていた船客や出迎え人たちも消え去ってしまった。急にガランとした波止場の白さが目にしみる。波の上を一匹の海鳥が哀しい声をあげている。

「あたし……船の中、さがして見るわ」

「そうするか……」さすがに隆盛も心ぼそげな顔で、「まさかヤッコさん、上陸してしまったんじゃないだろうねえ……」

タラップをのぼって二人は船の入口で日本人の番人に入船許可書を見せて中にはいった。天井にシャンデリヤがきらめいている。豪華な壁絵に彩られた船内はまるでホテルの中のようで

ある。外人の客、紺の制服を着た高級船員たちがアメ玉をころがすようなフランス語でさえずっている。床の敷物も巴絵のハイヒールまでがスッポリ埋まってしまうような感じだった。

「巴絵……」隆盛は額の汗をぬぐいながら、「おれ、なんだか便所に行きたくなってきて……。今にももりそうで……」

「よしてよ。こんなところで……」

こんな兄の世話までやいていてはガストンはいつまでも見つからない。巴絵はツカツカとフロントまで近づいていった。なくなったフランスの俳優ルイ・ジューベのような顔をした中年の事務員が立っている。

「パルラ・レイ・イタリアーノ」

まず、イタリア語がしゃべれるかとたずねてみた。

「シ・シニョリーナ」

ジューベ氏は唇にあいそ笑いをつくりながら外国映画にでもあるように軽く腰をかがめる。

「船客名簿、調べて頂けます?……ガストン・ボナパルトという船客、どこにいらっしゃるのかしら」

「アスペティ・シニョリーナ」

「タント・グラチェ」

ふりむくと、隆盛は照れくさいのであろう、しらん顔をして壁の壁画を見あげている。

ながい間、フランス人の事務員は名簿をひっくりかえしていた。それからパタン、と大きな音をたてて表紙をとじると、うすい、皮肉な微笑を口にうかべて、

「クラス・クワルト……」

指を四本あげて巴絵に見せた。

四等という意味である。外国船に乗ったことのない巴絵も隆盛も四等というものが船に存在することをまだ知らなかった。

「ドーベ・エーイル・クラス・クワルト……」(四等の船室はどこ……)

事務員は部屋の片すみに立っている青い目の水夫をよびよせると、こちらをジロジロ見ながら何かささやいた。水夫もばかにしたように肩をすぼめる。

その水夫につれられて、ハチの巣のように右、左に船室のならんだ廊下をわたって――

突然、陽のまぶしく照るひろい甲板に出た。その甲板にはクレーンが大きな音をたてて網に入れた荷箱をつみあげている。

「ボワラ……」

突然、水夫は青い目をあげて兄妹に足もとにポッカリとあいた穴をゆびさした。暗い船倉にはいる四角い入口である。鉄の階段が垂直におりていてイヤな臭気がして……

(これが四等)――思わず巴絵は息をすいこんだ。

「ガストン・ボナパルト!」

水夫は入口の前にしゃがんで大きな声で呼んだ。

その声をまちかまえていたように、一つの顔が穴の中からヌッと出てきた……

顔をヒョイと出したのは、ガストン・ボナパルトではなかった。女のように白い前掛けを腰につけて、肉切り庖丁を片手にもった船のコックだった。

まるまると肥って、お腹のつき出たこのコックは、ブドウ酒やけのした赤いダンゴ鼻をしきりになでながら、隆盛と巴絵を見ていたが、急に、大きくうなずいて、

「ブ・シェルシェ・ガストン、ネスパ」

「はい、はい」

隆盛は相手のアメ玉をころがすようなフランス語はさっぱりわからぬが、言葉の中にガストンという名前を耳にしたので、はい、はいと答える。

「デッサンデ・ムッシュー、デッサンデ・マモアゼール」

「はい、はい」

コックはこの四角い入口から船底に通ずる鉄バシゴを降りろと言っているらしい。

「降りるの？」巴絵はさすがにしりごみをした。

というのはその入口に顔をちかずけただけで、なまあたたかい船の油とペンキの臭いにまじって家畜小屋のような動物的臭気がムッと鼻についたからである。二人がためらっているのを見ると、フランス人のコックはさらに早口で話しかける。

「はい、はい」隆盛は鉄バシゴにしがみついてうなずいた。

さて、この船底は――

フランス旅客船には日本の船とちがって三等というものがない。一等にも色々な種類があるが、いずれも豪華なホテルの部屋のようなものである。この値段は目の玉がとび出るほど高いから書かない方がよろしかろう。二等というのは普通、クラス・ツーリストとよばれ、二人、もしくは三人

のあい部屋となっている。この値段も横浜、マルセイユ間十五万円以上と思えばよろしい。ところで、人はあまり知らないが、五万円の値段でフランスに行ける方法がある。それがこの船底の、四等なのだ。ボーイのサービスもなく、身のまわりの世話はもちろん、食事の持ち運びも自分でしなくてはならない。船荷の積下ろされる船倉の、あまった空間にキャンバス・ベッドがカイコだなのように並んでいて、そこにはシンガポールや香港で乗ってくる中国の出かせぎ苦力(クーリー)や上半身、裸の人夫たちが寝そべっている。船が港につくたびにここに乗りこむ人種は次々と変っていく。隆盛も巴絵もそんな四等のことは知らないから、下からムッと鼻につきあげてくる異様な臭いを我慢しながら、

「くさいわ、お兄さま……」

「なんの臭いだろうなあ……」

昼だというのに、シーンとした真暗な船倉に足をおろした。豆のように裸の電気がポツ、ポツともっている。すみの方には鎖で結びつけたキャンバス・ベッドが並んでいる。円窓から外の陽の光がほこりをうきしずみさせて流れこんでいた。

そのキャンバス・ベッドの一つに……

背のものすごく高い男が信玄袋のようなサックをひざに乗せて、しょんぼり坐っていた。

「ガストン・ボナパルトさんですか」

遠くから隆盛が声をかけると、その相撲とりのような男は、とびあがるように立ちあがって、

「ウィ……はい、はい、はい」

巴絵は思わず息をのんだ。

（馬……）

馬がヌッと立ちあがって、こちらを向いた時、巴絵ののどもとにこみあげてきたのはまずこの言葉だった。

左様——

暗い船倉の円窓からながれこむ白い光線を背にうけながら、体いっぱいにうれしさをあらわして隆盛に手をさしだしたこの男の顔は、白人か東洋人かわからぬほど陽にやけて、全く馬のように長かった。

顔だけではなく鼻も長い。そして歯ぐきをニヤッと見せて笑った大口までが……馬の面にそっくりなのである。

巴絵だって若い娘だから自分の家に迎えるフランスの青年に空想や夢をあれこれひそかに描いていた。ましてナポレオン皇帝の末裔ならば、シャルル・ボワイエほどではなくとも典雅でスマートで、そのくせ、どこかたくましい魅力をプンプン発散する男性であれかしと願っていたのは無理もなかった。

それがすべての点でゼロ、ゼロ、ゼロ。

知性のひらめきなど一片だにないこの間ぬけ顔。ボワイエやジェランなど比較するだけでも恥かしい。強いて外国の俳優をさがせば、かの喜劇俳優フェルナンデルの山イモのオバケのような顔に似ているとも言えようか。巴絵の胸をときめかすような、ひきしまった面魂を、この男の風采から見つけることは絶対に不可能なのである。

「これがぼくの妹……」

さすがに隆盛もガクゼンとした表情でこちらをふりむいたが、思い直したように巴絵を紹介した。

「ぼくの日本語、わかりますか」

「ハイ、わかります。わかります」

手をあわててあげて巴絵と懸命に握手する。この不器用な動作までが、

(馬……)

はじめ巴絵はこみあげてくる笑いを必死で押えようとした。だがその笑いがとまると、ヤラレタッという意識が電光のように心にひらめいた。

(完全にやられたんだわ。あたしたち)

幻滅、失望、悲哀、もうなんでもよろしい。三週間のあいだ、ひそかに描いていたバラ色の空想までがすっかり粉みじんにされて——

(ハ、ハ、ハ、ハ、喜劇よ。これは……)

恨めしさとも怒りともつかぬものが巴絵のほおをひきつらせた。

(お兄さまがわるいんだわ、みんな)

どこの馬の骨ともわからぬ外国の風来坊をわざわざ横浜まで迎えにきて、おまけに一部屋、提供しようなんて日本人は、何と人がよいんだろう。それにこの男の服装はまあ、何かしら。長い船旅のせいか、ズボンのひざがぬけているのはまだよいが、そのズボンが長い足におかしなほどチンチクリンで……

「どうするのよ、お兄さま」

小声で早口に巴絵は兄にささやいた。できればこのガストンをどこかに捨ててしまいたかったか

らである。

それなのに隆盛は、ニヤニヤ笑いながら、

「わかってるじゃないか。まず税関に行って、それからタクシーをさがして……車賃たのむぜ、巴絵」

ああ、この場で思いきり兄のおしりを蹴とばしてやりたかった……

「ガストンさん」と隆盛が声をかけると、

「はい」

「ぼくの日本語、わかりますね」

「はい、はい」

「じゃ、外に出ましょう。荷物……バッグ……どこ……」

ガストンは床においた信玄袋のようなサックを指さした。

「これだけ」

さすがに隆盛もちょっとおどろいたが、相手は、

「これだけ」

平然としてうなずいている。

四等はひろさ五十畳ほどの船倉だが、ペンキと油の臭いにまじって、どこからか異様な臭気が漂ってくる。巴絵は思わずハンカチをそっと鼻にあてて、うしろをふりかえった。この異様な臭いはW・Cのとびらからもれてくるのだった。

（よく、まあ、こんなところで……）

むかし「奴れい船」という映画を見たことがある。アフリカの奴れいたちが二、三百人、鎖につながれて、こんな船倉に押しこめられていた。この四等もそんな陰惨な暗さをどこかもっているのである。

「たのしかったですか、ガストンさん、船旅は……」

「船の旅ですよ」

「フナタベ？」

「アア、そのことはたのしいでした」

ゆっくり話せばこの男はこちらの日本語もわかるらしい。

階段をふたたび、ふみはずさないようにのぼる。ガストンはなれているのか、大ザルのようにヒョイ、ヒョイと長い足を動かしながら、一番さきに甲板にでると、上から長い顔をさしだして、

「ビズンさん」

美人さんという意味であろう、巴絵になれなれしく手をさしだす。

（ビズンとはなによ）巴絵はムッとしたが、拒むわけにもいかないのでハンドバッグだけを渡した。相手はうれしそうにワニのような口をあけてニタッと笑った。

甲板の上にでると陽がまぶしい。さきほどの水夫と肥ったコックとが腕ぐみをしながら立っていたが、ガストンと巴絵とを見くらべて、口笛を吹きながら、なにかフランス語でひやかした。するとガストンはまた大きな口をあけてニタッと笑うのである。

言葉はわからないが、相手がなにを言っているかぐらい察しはつく。

（礼儀も知らないわ。この男……）

巴絵はツンと船のむこうの青い海をむいて彼等の口笛やガストンの存在を黙殺しようとした。

おひるの陽がさした波止場にはもう船客も出迎え人の姿も見えない。その波止場におりた時、ガストンはポケットから東京の地図を出して、

「よいとこヤドヤ、教えてください」

と言った。

「ヤドヤ？」

「はい、ヤドヤ……ホテル」

「ガストンさん」隆盛は首をふって、「ぼくらの家が君の安いヤドヤ……」

はじめ、ガストンはその言葉の意味がつかめなかったらしい。しかし隆盛がもう一度、くりかえして説明すると——

長い馬面が泣きださんばかりにクシャ、クシャとゆがんだ。じっと隆盛の顔を見つめて、手をさしだすと、

「ありがと……しんせつ……」

？

えたいの知れぬ男が隆盛と巴絵の家にころがりこんでから一週間たつ……

その一週間——隆盛一人をのぞくと一家の者は毎日、どことなく恨めしげな目をガストンの泊っ

ている部屋に注ぐようになった。特に巴絵に至ってはそのツンとした小鼻に青い怒気を漂わせて兄をにらみつけることさえあった。

だが、まあ、巴絵の身にもなってやって頂きたい。

あの日——

船を出たあと、高いタクシー代を奮発して、港から巴絵が隆盛とこの外国の風来坊とをタクシーに乗せてやると、ガストンはまるで三歳の子供のように車の窓にしがみついて春風の吹く横浜の町に見ほれていた。

「ガストンさん、これが伊勢佐木町。これが市役所……」

隆盛がそう説明してやってもほとんど返事らしい返事もせず、夢中で窓ガラスに顔を押しあて、時々、ワニのように大きな口をあけて例のニタリとした間のぬけた独り笑いをもらすのである。

長い間、あこがれていた日本に来たのであるから、物珍らしい日本ヨコハマの風物に心を奪われていることはよくわかるが、巴絵が気にくわぬのは、このニタッとした笑い方である。長い馬づらを白痴のようにほころばせて、巴絵の同意を得るようにこちらを向く。

「コドモさん」

「えっ」

「コドモさん」

子供さんと言っているらしい。なるほど子供が歩道でチャンバラをして遊んでいるのが車の窓から見える。

「イヌさん」

尾上町から桜木町にかかる橋のたもとで、車がターンする時、電柱にオシッコをひっかけていた野良犬が、あわてて飛びのいたのである。

「そうですわね」と巴絵が仕方なく、うなずくと、

「イヌさんあぶない」

「本当ね。イヌさんあぶない」

いつのまにか、こちらの日本語までおかしくなってくる。ガストンはよほど犬が好きなのか、車道を横ぎる野良犬をじっと見送っている。

それだけなら、まだよかったのである。桜木町の駅についたのが昼を少しすぎていたので、

「巴絵、軽く、なにかつついて行こうぜ。そうだ、スシがいい。日本的な食物の第一ですからな」

妹の懐ろだけを勝手にあてにした隆盛がそう決めると、相手はその日本語がわかったのであろう、うれしそうに大きくうなずいた。

スシ屋の中で店の者や客の視線を浴びながら三人は腰をかけた。巴絵はできるだけ赤の他人のように横をむいていたが、隆盛の説明を聞いていたガストンが急にひざに乗せた信玄袋のようなサックに手を入れると——

ズルズルと……白い、長いヒモのついたものを引きずり出したのである。

「これ、ネエ……」得意そうに大声で説明する。「マルセイユの日本船の人タナカさん、くれましたよ」

客や店の若い衆がじっと注目する中でガストンは悠々とそのヒモを首に結んで無邪気に笑った。

「日本のナプキンつけましょう……」

巴絵と隆盛をのぞいて店中の者は爆笑した。ガストンが首につけたのは男が前をかくすフンドシだったのである。

渋谷にむかう電車の中で隆盛が苦笑しながら、このふんどしの一件をガストンに聞きただしてみると――

マルセイユでいよいよベトナム号に乗りこむ前々日、同じ波止場に日の丸の旗をかかげた日本の貨物船「赤城丸」がとまっていた。日本の船ならば名を聞くだけでも胸のウズウズするガストンであるから早速、見物に出かけたのである。

タナカさんという若い水夫が親切にガストンの願いをききいれて船内を案内してくれた。自分の部屋でめずらしい梅干やノリや日本の菓子もごちそうしてくれた。その円窓にひらひらと、白い長い、両端にヒモのついたものがほしてあって、

「コレハナンデアルカ」

好奇心にかられたガストンからたずねられると、若い純情な船員のタナカさんはさすがに真実をうちあけられなかったのであろう。苦しまぎれに――

「これは……日本人のナプキン、であります」

そう言えば日本人のふんどしと西洋人のナプキンは少し似ている。ガストンは赤城丸を訪問した記念にこのナプキンを自分のネクタイと交換して頂けないかと申し入れた。窮地に追いこまれて、タナカさん、心の中で手を合わせてわびながら……

事情がわかってみると、ガストンには悪い点はひとつもない。彼はただ素直にタナカさんの言葉

を信じていただけである。桜木町のスシ屋でも、彼は日本についた喜びを隆盛や巴絵に無邪気に表現してみようと思ったにちがいないのである。

だが満座のなかでいきなり、最高に品のないものを見せつけられ、その上、店中の客から大笑いをされて、顔に火の出るような思いをさせられた巴絵は、

（いくら外国人だって――バカ、バカだわ。本当にこの男、バカじゃないかしら）

家に戻る電車の中でもバスの中でも、もうツンと横をむいてガストンにはもちろん、兄の隆盛にも口をきこうとしなかった。

「まあまあ、仕方ねえじゃないか。初めて日本にきたんだもん」

つり皮にぶらさがって隆盛がしきりにとりなすが、

「………」

「巴絵だって外国に行けば同じ失敗をやるかもしれないよ」

「………」

てんでカキのように口をひらかない。

それなのに当のガストンはひざに荷物をおいたまま、相変らず春風たいとうの窓外の景色に見とれる。

家につく。

母親の志津もマーちゃんも仰天してこの客をながめている。巴絵はあとの世話はその二人に任せると自分の部屋にとじこもってしまった。

机の上に映画雑誌が開いたままになっている。ナポレオンにふんしたダニエル・ジェランが憂愁

をおびた表情でうつっているのも癪にさわってくる。

「ここが君の部屋……」

廊下から隆盛がガストンに家の中を案内する声が聞こえる。

「ねえ……自分の家だと思ってくれたまえよ」

(冗談じゃないわよ。本当に……)巴絵は大きな音をたてて舌打ちをした。

その日一日はガストンも疲れているだろうと、彼の部屋にきめた下の六畳に床をとってソッとしておいてやったのだが……

三時、やはり気になった巴絵がお茶とお菓子をマーちゃんに用意させようと台所にいくと、

「お嬢さまア……」

「なあに」

「お客さん、本当にナポレオンさんの親類なんですか」

「そうらしいわよ。どうして……」

「さっき、ネマキのまま外に出ていきましたよ」

三十分ほど前、マーちゃんが玄関で掃除をしていると、寝ていたはずのガストンがヒョイと顔を出したと言うのである。おまけにネマキがわりに貸し与えた隆盛のゆかたを着て、

「わたしのクツ……」

げた箱にしまったクツをさがしている。マーちゃんがその大きなボログツを出してやると、

「ありがと……」

そのままヒョイとクツをはいて外に出てしまった……

「まあ……あんた……どうしてとめなかったのよ」

巴絵にそう言われて、マーちゃんはほおをふくらましながら、

「だって……お客さん、庭だけ歩くのかと思ったんですもの……」

ネマキにクツ。そんな格好でこの近所を回られてはたまったものではない。

「あたしさがしにいってくるわ。お兄さま、よんできて……」

二階で昼寝をしている隆盛をよんでもらった。

「どうしたんだね」

「どうもこうもないわよ。とんでもない人をあずかったじゃないの」

「そうかね」事情をきいた隆盛はクスクス笑いながら、「おれはなんだか楽しくて仕方がないよ」

道にとび出したがガストンの姿はみえない。あの姿で駅のちかくの商店街に出られたら、また昼のスシ屋と同じような恥をかかねばならないのである。

（いい加減にしてほしいわ。全く……）

あちこちに目をくばりながら巴絵はまたも怒り心頭に発する気持だった。隆盛一人でさえ手をやくわが家なのに、その上、もっと手数のかかる変てこな外人が舞いこんできて……

「チョイと、チョイと」

道であそんでいる鼻たれ小僧たちに、

「あんたたち、今、外国人みなかった……」

「キモノ着たアメリカ人だろ……」

「アメリカ人じゃないの。でもいいわ。どこに行ったのよ」

その時だった。むこうからブラリ、ブラリと……

あの相撲とりのような体にチンチクリンのネマキをひっかけて、それにクツをはいてガストンが戻ってきたのである。うしろからやせこけた一匹の犬がヒョロヒョロついてくる。

巴絵をみると、例のニタッとした笑を馬のような顔にうかべて、

「イヌさん、かわいそう。やせてるね。イヌさんにたべものください」

図々しいことを言うのである。

夜になった。ガストンの歓迎会という意味で隆盛が奇声をあげるほどの御馳走が食卓にならべられた。

当の主客も上陸した時のダブルに着かえ、窮屈そうにひざを折ってかしこまった。隆盛があぐらをかかせてみると、なれないのか、足が長いためか、ダルマのようにフラフラとして、

「オー、ノン、ノン。わたし、いけないよ。でけないよ」

珍らしそうに食卓の日本料理を見くらべては子供のように、「一つ、二つ、三つ、四つ。たくさん、たくさん」と指で数える。

巴絵もそんな無邪気な相手を見ると、今朝の恨みも少しは忘れて、

「ガストンさん。日本のお料理はじめてでしょう」

「はい、はい。パリで一回たべました」

パリには「ぼたん屋」という日本料理屋があってフランスの女と結婚した日本人が経営している

のだそうである。ガストンはそこに友だちと出かけたことがあるという。

「なにを召上ったんだろうね」

母の志津が隆盛をチラッと見ながら少し心配そうにたずねた。

「母さん、召上ったなんてそんなムツカしい言葉を言ったらだめですよ。ガストン君には単純な日本語を区切って使うようにしなくちゃあ……」と隆盛は母だけではなく家族一同に注意を与えた。

「ガストン君。今日から君のことをぼくら、ガスさんとよびますぜ。よびにくいですからさ」

「はい。……わかりました」

「ガスさん。その時、なにたべた？」

「スケヤキ」

「スケヤキじゃない。スキヤキですよ。ガスさん」

そのガスさんを先ほどから部屋のすみで女中のマーちゃんが目を円くして観察している。

（あんまり、見ちゃだめよ）

巴絵はそう注意しようと思ったが、マーちゃんがお盆を出すのも忘れて観察するのは無理もなかった。

並べられたサラの料理を不器用な手つきでつかまえると、ガストンは長い馬づらをハシに近づけて、
パクリ
大きな口の中にポイとほうりこむのである。お刺身もただ一口でパクリ、ホウレン草も一口でパクリ。

デズニー映画の中で河馬が大口をあけて食物をのみこむ場面があったが、巴絵は思わずあれを連想してしまった。

「ねえ、ガスさん。君はナポレオン皇帝の子孫なんだろ」と隆盛がきくと、

「はい。わたしの祖先、ナポレオン」

ナポレオンと有名なマリア・バレフスカ夫人の間に生れた子供がガスさん一家の初代になるのだそうである。

(本当かしら)

巴絵はそっと相手の顔をうかがった。この山イモのオバケのような馬づら。大きな口に料理をパクリとのみこむ河馬のごときたべ方。ガストンの先祖があのアルプスの峻険をこえてイタリアを征服したさっそうたる英雄だとはどうしても信じられないのである。

(サギ師じゃないかしら、この男……)

巴絵の胸にそんな疑惑がふいに起った。

メンデルの法則か、ルイセンコ説か知らないが——

一つの家系でその先祖と末裔とが、これほど似ても似つかぬ変りかたをするものなのだろうか。あまりと言えばあまりにも情けない。

ナポレオン皇帝は背はひくく顔も小さかったという。だがハゲタカのような鋭い目と、キツネのように狡智にたけた唇とをもっていた。

ところが、このガスさんとくると、ヘチマの化物さながらの顔と体、食卓の料理をよだれを垂ら

さんばかりに大口あけてパクついているのである。

容貌の点もさることながら……その人品といい、その物腰といい、ナポレオンの面影をガストンに求めることは木によって魚を索めるよりもむつかしい。世が世ならばこのガスさんも、ガストン・ド・ボナパルト伯爵とか呼ばれて……シャンデリヤきらめくベルサイユ宮殿で、ローブをまとった貴婦人たちの手にうやうやしく口づけをなし、ワルツを踊ったかもしれぬと巴絵はふと想像したが……

（とんでもないわ）

この長い顔が優雅なワルツに合せてヒョイ、ヒョイとゆれ動く図を思っただけで、人生のあこがれも希望もなくなるような気がしてくる。

（本当はバカな顔をして……何かをたくらんでるんじゃないかしら）

そう思った巴絵は、ガストンをそっとうかがったが、相手はいつの間にか食事をやめて、ぼんやり窓の方をむいているのである。

「ガストンさん、お食事は？」

「…………」返事をしない。

「ガストンさん」

ガストンはこちらをむいて少し哀しそうに微笑した。

「どうしたんです、ガスさん」

隆盛も心配そうにウイスキーのびんをおいてたずねると、

「イヌさんも」ガストンは自分のサラを指さして、「これ、たべたいね」

「イヌさん？」

途端に巴絵は今日の午後、ネマキにクツをはいて外にとびだしたガストンが、やせこけたきたならしい老犬を連れていたのを思いだした。

「マア、あの野良犬を」

あの老犬はこの辺をうろついている野良犬の一匹である。時々、台所にはいってきたり、ゴミだめをひっくり返したりして、マーちゃんの激怒をかっているのである。

ガストンが立ちあがって窓ガラスをあけると、ゴホン、ゴホンと犬がセキをする声がきこえた。老犬は人間と同じようにゼンソクにかかっているのである。

自分のサラのものをつまんでガストンが老犬に与えてやっている間、巴絵とマーちゃんとはいやあな顔をしてそっぽをむいていた。だが当のガストンは、

「今日からこのイヌさん、みなさんのお友だち。わたしと同じお友だち」

勝手にきめこんでうれしそうにこちらをふりむいている。

その夜――ガストンが部屋に戻ったあと、巴絵は思わずふかいため息をついた。心も体も疲れはてた感じである。

「よくもよくもあんなバカを呼んでくださったわね、お兄さま」

心の底から恨みをこめて隆盛に言うと、

「いや、大石内蔵助のこともあるから、バカかどうかまだまだわからんぞ」

隆盛は首をふった。

「バカなのか利口なのか――」

自分が招いた手前もあるので、隆盛の方はしきりにガストンを買いかぶっているが、巴絵には納得がいかない。顔が馬のようで動作が緩慢なのは天性、神の与えたものだから仕方あるまいが、しゃべることと、なすことととをジッと見ていると、まるで幼児のような精神年齢。少なくとも巴絵が小説や映画から考えていたフランスの青年たち――敏捷で才と機知とに富んで目から鼻にぬけるように利口なフランスの青年では絶対にない。

「そういうのは小才子と言うんだ。……日本にだって自称インテリや文化人を見ろや。ウョウョいるじゃないか。フランスだけじゃない。……」

隆盛は強調したが、巴絵は、

「いくらなんだって程度というものがあるわよ。到着早々ネマキにクツで歩くなんて……いくら日本を知らないからって非常識だわ」

「いや、そこだて。あれは瑣事にコウデイせん海のようにふかい男かもしれん。とにかく巴絵は昔から男を見る目がなかった。おれのような男の中の男を見る目がね……」

では男の中の男とは、隆盛のように朝寝坊で、妹に小遣いをせびって、どこの風来坊ともわからぬ男をわが家につれこむ男性なのか。ふんどしを首に巻いたり、野良犬を自分が世話になっている家につれてくる男性なのか。そんな男がしかも二匹、ゴロゴロされては世話をする家族が有難迷惑である。

早い話、台所の音に耳をかたむけたまえ。サラの音がいつもよりガチャッ、ガチャッとはげしくきこえる。あれはマーちゃんがきげんの悪い証拠だ。女というものはデリケートな心情の持主だから、マーちゃんも腹をたてた時、おサラに感情をぶちまける。ナポレオンさんの親類があんな見っともない男では御用ききに自慢した手前、面目まるつぶれなのである。

「あの人、何のために日本にきたのよ」

「さあ……きいてみたが、別に目的らしい目的も言わないんだ。?だね」

翌日から――

隆盛も巴絵もそれぞれ勤めに出かける。

「ガスさん、今日あ、どうします。東京の町でも見物してきませんか」

隆盛の書きこんでやった東京見物の地図を手に持ってガストンは兄妹とつれだって朝、経堂の駅まで出る。隆盛も巴絵も東京駅でおりるから、ここまで彼をつれてきて……

「官庁街を見たら東京タワーを見物してみなさい。エッフェル塔より高いから……」

「オー。エッフェルより高い……」

キョロキョロあたりを見ながら朝の人ごみの中にガスさんは一人で消えていく。それを見送りながら、

「それ見ろ。一人で東京をああして歩けるんだ。バカじゃないじゃないか」

「大丈夫かしら」

「大丈夫だよ」

だが、隆盛や巴絵が帰宅して、先にかえったガストンにきいてみると、彼は何も見ていないのである。隆盛がせっかく書きこんでやった議事堂も、官庁街も、東京タワーも、それから巴絵に気づかれぬよう、そっと教えた日劇のストリップも見物せずに……

「じゃ、何を見たんだい、ガスさん」

「おテラ」少しかなしそうに笑って、「コドモさんとハトさん、たくさん、たくさん見たね」

銀座や丸の内は素通りしてどこかの寺の境内で一日中、子供とハトとを見物していたらしい。何のために遠い海をわたって日本にきたのか、全く？な男なのである。

ところが――

この男がどんな人間かがわかるような一事件がもち上った……

それは――

日曜日の夜、隆盛の提案で夜の東京をガストンに案内することになった日である。

「どこに連れてらっしゃるの。銀座？」

と、巴絵がたずねると、

「銀座なんか行かないよ。巴絵などの知らぬ東京の裏の裏」

隆盛はニヤニヤと笑った。

「男性だけで行くべいか。ねえガスさん」

だが軍資金という問題を考慮すると、やはり巴絵の御出馬を仰がねばならぬ隆盛であるから、

「まあ、こういう機会に巴絵も社会探訪をしておくのもよろしかろう」

もっともな表情で同行をすすめた。

どうせ兄の社会探訪と称するところは、よからぬ場所にきまっているから、

「国辱的な場所をガストンさんにお見せになるつもり？」

である。

「ばかだなあ、巴絵は。じゃあ監視について来いよ」

食事をすましたあと、母の志津とマーちゃんに留守番をたのんで、うれしそうに例のツンツルテンの洋服を着たガストンを連れて兄妹は小田急に乗った。

新宿はガストンにとっては初めてである。隆盛は新宿ならばネズミの穴まで知っていると大自慢である。

「ネズミの穴はいいけど国辱的な場所は彼に見せちゃだめよ」

「わかっとる……」

けれども駅をおりてガストンを中にはさんで歩きだした途端から、巴絵の心配していたものが即座に始った。

マッチ箱のように並んだ飲屋の灯、香ばしい焼鳥の匂い、客を呼ぶ声、パチンコ屋の音……ガストンはキョロキョロと目をうばわれながら、

「タカモリさん、びっくりごとです」

「おもしろいだろ。これは東京のカスパ、一杯、のんで行きますかな」

すぐガストンを誘惑しようとする。

それを巴絵がしかりつけたり、上着を引っ張ったりしてとめている時に――

ジャンパーのポケットに手を入れた若い男が、兄妹から少し離れてあたりを見回しているガストンに近よって、ニヤッと笑うと、

「ねえ……」なれなれしく小声でなにかつぶやいた。

巴絵は足をとめてその男をながめたが、相手がなにものだかよくわからない。隆盛だけがひとり

あわてて、

「ガスさん……ガスさん」

「チョト、待ってください」

ガストンはこちらに手をふってそのジャンパーの青年となにかニコニコ話している。

「この人、うつくしい日本の写真見せると誘います……」

「いいんだよ、ガスさん。こっちに来なさい」

と、隆盛はガストンの腕を引っ張った。

「だまされちゃダメだよ。こいつはねえ」

巴絵には兄の説明で初めてわかったのだが、ジャンパー姿の若い男はいかがわしい写真をガストンに偽って売りつけようとしたのである。

キョトンとしたガストンを連れて歩きだした時、その男は隆盛と巴絵のそばによって、

「おい……こいつとは何だい。ちょっとメンをかしてくれねえか」

と、ひくい声で言った。

「ヨオ……兄ちゃんヨオ……チョッと来な」

なにを握っているのか、その若い男はジャンパーのポケットに手を入れて隆盛にドスのきいた声をかけた。

巴絵は思わず隆盛の上着をかたく握りしめて……勝気な彼女もこのような場合は兄の背後にかくれてしまう。

「逃げんのかいよ。姉ちゃん」

「逃げません」隆盛も妹をかばいながらかすれた声で、「逃げませんが……でもねえ……あんた……」

「あんた?」

「あんた……あの異人さん……どなただか知っとられますか」

「なにい?」

「よく見てくださいよ。記憶ないですかなあ。新聞で見たことおありでしょう」

「御存知ない……あの方こそ拳闘の米倉さんと今度、試合をおやりになるブラジルのガストン選手その人ですよ」

「………」

「ぼくらはブン屋……つまりR新聞のもんですけど……」

隆盛は何もわからずに横のパチンコ屋を口をあけて見ているガストンを呼んだ。

「ミスター、ガストン、プリーズ」

「はい、はい」

「プリーズ、ガストン」

「はい、はい」

「ノックアウト、ディス、チンピラ」

しばらくの間、ジャンパー姿の若者は同じ姿勢で兄妹とガストンとをそっとうかがっていた。だが、大きなガストンが近づくにつれ二、三歩、足がうしろにさがる。やがて彼はプイと横をむくと、パチンコ屋と小さな飲屋の間に姿をけしてしまった。

この時になって巴絵の体はガタガタとふるえた。胸の動悸が波打っているのもハッキリわかる。

「お兄さまあ……」

「シッ……」隆盛も額の汗をぬぐって、「急ぐんだよ、巴絵」

まだキョトンとしているガストンを押すようにして歩きはじめる。酔客たちがそのガストンを見上げてふしぎな表情をした。

武蔵野館前の十字路に来るまで巴絵の足はまだ恐怖で宙に浮いたような感じである。

「よく言えたわねえ、あんなセリフ」

だが、せっかく巴絵が見なおした隆盛は急に威張りだして、

「なあに……一人でもあんなの十人いたって平気だがね」

「ともかくどこかで休みたいの。まだ胸がドキドキするんですもの」

コーヒー店「クイヨン」がすぐ目の前にあった。ドアの間から甘いシャンソンがきこえてくる。この店はフランス情緒、パリムードを売り物にしている店屋として有名である。

「ね、ガストンさん、ここなら喜ぶわよ」

「おれはいやだ」隆盛は少し閉口したような表情で、「フランスづいた文化人や学生が来るだろ。おれは背中にジンマシンが起きそうだもの」

けれどもほかに適当な店もないので三人はここにはいった。

「クイヨン」のなかは水族館のように暗い。昼でさえわざわざ厚いカーテンをしめて、金色の壁に淡くともったランプの光が、その下に坐った若い客たちの顔を水槽のなかの魚のように青白く浮

きあがらせている。

喫茶店の客の顔は魚に似ている。

なにを思索してるのかくるしそうな顔をした文学青年の目はボラの目のようだ。

甘いシャンソンの音楽にうっとりしているムード娘。これは十四一円のメダカ。

その娘をひそひそと小声で口説いている中年男はスケソウダラのようにいやらしい。

隆盛は元来、こういう東京の喫茶店というものの高尚さがよくわからない。苦いコーヒーを飲まされて、「詩人の魂」をきかされてため息をつくのは彼の柄ではないから、お客の顔を見ては魚と比べあわせている。

その上、この「クイヨン」はいわゆるパリ・シャン族の集る店として有名だった。パリ・シャン族とは歌声酒場でロシヤ民謡を合唱するモスコー族とはまたちがったフランスびいきの若い世代のアダ名で……モスコー族がことさらに労働者めいた服装をするに対し、このパリ・シャン族はベレー帽をかぶり、フランス語の原書をこわきにかかえたりしてその趣味を誇示する。これが隆盛にはどうも気恥かしくて苦手で――できることなら近所の飲屋でオダをあげたかった。

だが今日は軍資金は妹に仰がねばならぬし、それに先ほどの出来ごともあったばかりだったから、致しかたなく巴絵のあとからガストンと店の中にはいったのだが……

「あら――」

席につくや否や妹は声をあげて、隣席に坐っているおしゃれなイカナゴのような青年に声をかけた。

「大隈さんじゃないの」

「これは、巴絵さん」

イカナゴ青年は小指をあげてつまんだコーヒー茶わんをテーブルにおくと、こちらに近よってきた。

「お兄さま……紹介するわ。あたしのオフィスの大隈さん。大隈男爵のお孫さんなの」

大隈は縁なしメガネをキラリとさせて隆盛に、「おうわさは巴絵さんからも時々、伺ってましたのよ」

女のような言葉で話しかけた。

「こちらはね」巴絵はちょっとためらって、「ガストン・ボナパルトさん。フランスからいらっしゃって今、あたしの所にお泊りなの」

フランスときいて大隈卓彦の顔はガゼン、緊張した。彼だけではない。隆盛たちのうしろにいる若い男女たちも急にこちらを向いた。

「あの……」と大隈はひとりごとのように言った。

「お邪魔でなければ、御一緒させて頂いていいかしら」

「はあ……どうぞ」隆盛はブゼンとして顔をなでた。彼には周りのパリ・シャン族が自分たちの会話に耳を傾けることがありありとわかった。なんだか体中にジンマシンが起きそうである。

「巴絵さん」図々しく席に割りこんできた大隈はガストンに向って早速、話しかけた。「フランスの人と話をするのは、とても光栄ですね」

「はい、はい」ガストンは大きな手を出して相手と握手をした。

「ここに来る連中はフランスの芸術を尊敬してるんですのよ」

「ケイジツ？」ガストンは困った表情で言った。

ケイジツとはガスさん、よく言ってくれた。全くここに来る連中は芸術ではなく軽術青年である。

だが、その時――

ふと視線をそらすと先ほどのジャンパー姿の愚連隊が出口のドアの所に立っていたのである。

しかもジャンパーを着た若者だけではない。おそらく兄貴分であろう。ガッシリした肩にハデな上着をひっかけたボクサーくずれのような男が――

時々、ドアのガラスに顔をおしあてて隆盛や巴絵の席をうかがっているのである。

（こりゃ、いかん、こりゃ、いかんわい）

とっさに隆盛は「クイヨン」の別の出口をさがした。だが出口というと彼等の待っている大きなガラスの扉しかないようである。

「東京に満足されました？　ガストンさん……。ずいぶん汚いでしょ。パリはいいなあ……根のついたゲイジツの都だから。マロニエの木、セーヌ河。……東京なんか町そのものが貧弱でうすっぺらで、パリなんかとは比較になりませんでしょ」

大隈卓彦は先ほどからガストンと巴絵を前にしてさかんに東京と日本との悪口を言っている。自分の生れた国、自分の住んでいる町をことさらに軽蔑するのはパリ・シャン族の特徴の一つである。ガストンはわかったのか、わからないのか、馬のような顔に少し口を半びらきにしたまま大隈をポカンと見ていた。

もっとも大隈が自分の話をガストンにではなく、その隣りにいる巴絵にきかせようとしているぐらいは、鈍い隆盛といえどもすぐわかる。

「それに……今の日本人はなにもかもアメリカ文化のサルまねですからねえ。サルまねですよ、アメリカ文化の……。ガストンさん、サルまねって日本語、おわかりになります？」

「サルまね？」ガストンは眠そうな声をだした。

いつもなら酒場や喫茶店でこんなパリ・ジャン族に出あうと隆盛は帽子をかぶり直してスタコラ逃げだすことにしている。別に隆盛は相手の言うことがすべて間違っていると思うのではない。第一、彼にはこんな理屈を並べることが生来、苦手なのである。ただなぜかしらぬが、なにもワザワザ、外国人や巴絵のような女の子の前で自分の国の悪口を強調することはないと思う。同じ同胞を軽蔑することはないと思う。話をきいていると、おしりのあたりにジンマシンが発生しそうな気分になるのである。

けれども今は――

出るに出られない。例の人相よろしくない男たちは、相変らずドアの向う側からこちらをうかがっている。明らかに彼等は自分たちを待ち伏せしているにちがいなかった。

「サルまね……」そんな隆盛の心中を知らぬ大隈は金切り声をあげて、「巴絵さん、フランス語でサルってなんと言うのかしら？」

「さあ……知らないわ」

「サル……つまり、モンキー」

それから彼はガストンにむかってサルの身ぶりをして見せた。

「アア、サル……」ガストンは大声をあげてうなずいた。「あなたはサル……ほんとね」

思わず巴絵がふきだすと、大隈はムッとしてスプーンで紅茶をかきまわした。もう彼は二度と口をひらこうとはしなかった。

自分の言葉が相手の気持を害したのを感じたのであろう、ガストンはションボリと隆盛をむいて悲しげな表情をした。

「出ましょうか。お兄さま……」

少し当惑した巴絵がハンドバッグをもって腰をあげる。

「それじゃあ、ボクも……」

大隈までが席を立って……

隆盛はもう一度、チラッとドアを見た。ジャンパー姿の男がさっと体をドアのかげにかくした。

隆盛を除いて危険が待ちうけているとはつゆ知らぬ大隈と巴絵とが肩を並べて先にたった。隆盛はガストンの大きな背中のうしろに体をかくすようにして——

「巴絵さん、ここはボクに払わして下さいよ」

「あら……わるいわ、そんなの……」

大隈青年と巴絵とがたった今、飲んだコーヒーの伝票を奪いあっている。隆盛はどちらが払っても懐ろが痛むわけではないから、ガストンの肩を防波堤にしてひそかにドアをうかがっていた。二人の愚連隊はどこに隠れたのか、見えなくなった。

「巴絵……ちょっと、ちょっと」

さきにドアを押そうとした巴絵をあわてて隆盛はよびとめた。外に出た途端、不意をうたれて嫁入り前の妹に危害を加えられては大変である。

「なあに……お兄さま」

大隈青年がいるためか、巴絵はいつもよりきどった声を出した。

「いや……ちょっと重大な話がある」

いぶかしそうに巴絵が足をとめたので大隈とガストンとが一緒に肩をならべた。

「お先に、ムッシュー」

くちびるにうすい笑をうかべた大隈はドアをあけて親しげにガストンの腕を支えた。

「なんのお話……」巴絵は隆盛の顔を見あげた。

「いいからここで待ちなさい」

「どうしたのよ……」

隆盛の想像どおり、外に出た大隈とガストンの両わきに突然、二人の愚連隊がピタリとよりそった。

「アッ、さっきの男じゃない……」巴絵は声をあげて隆盛の腕を握った。

「そうなんだ……」

「どうする……お兄さま」

兄貴分らしい上着を肩にかけた男がこちらをふりかえった。大隈も真青な顔をしてゆがんだ顔を巴絵にむけている。だが男が一言、一言なにかささやくと、引きつった顔をこちらにむけたまま歩きはじめた。ガストンは相変らずジャンパー姿の若者に愛敬をこめた微笑をふりまいてあとに続くのである。

「警察に電話する、あたし」

「だめだ……ガスさんたちどこにつれて行かれるのか、わからんじゃないか」

巴絵はしばらく黙っていた。青い怒りが頬をサッと走り、その鼻がピクピクふるえるのを隆盛は見た。子供の時からこういう風に鼻を動かした時……巴絵はいかなる暴力にも脅かしにも屈しないほどカアッとなっているのである。

「ついて行くわ」決然として言った。「お兄さま、一緒に来てちょうだい。あんな連中に脅かされてたまるもんか……」

「………」

「こわいのね、お兄さま。卑怯よ」

「ようし……」

隆盛といえども男であるから妹から軽蔑されては後にひけない。相手は二人、こちらは三人。だが——あのイカナゴ青年の大隈ではなにか心細い。ガスさんがいる。少なくともガスさんも事情さえわかれば、フンゼンとして立つであろうが……

愚連隊の二人はこちらをふりかえってニヤッと笑った。

「おい、おい……ばかはよしたまえ」

隆盛が口だけは勇ましくそばによると、これも急に元気になった大隈が金切り声をあげて、

「本当だ。暴力はいけませんネ。暴力はいけませんョ……」

ところが——

今まで見えなかった新しい不良がさらに二人、隆盛と巴絵の両側にくっついて来た。一人は白痴のように口を半びらきにしたまま、手でなにか小さな玩具をもてあそんでいる。

周囲を通りすぎる通行人たちは兄妹やガストンが町のダニに付きそわれていることを知らない。この道をもう少し行けば、いわゆる、そこからは愚連隊の巣ともいうべき、いかがわしい飲屋がポツンポツンと並ぶ場所になる。国電の線路が走り、小便の臭いがプンプンする駅の裏の暗い一角だ。隆盛は連中が自分たちをそこに引きずりこもうとしているのに気がついていた……

その時だった。突然、足をとめた巴絵が、横を通りすぎた二人の学生に叫んだ。

「おねがい……助けて……あたしたち変な男にかこまれてるんです」

ケゲンそうな表情で学生たちはこちらをふりむいた。彼等の顔にはすぐにありありと恐怖の色がうかんだ。上着を肩にひっかけた兄貴分らしい例の男が、二人の前に立ちはだかったからである。

「ごめんなさいよ。学生さん」

彼はうす笑いをうかべながらささやいた。「この姉ちゃん、少し酔ってるんでネ」

それから足がすくんだように棒立ちになっている彼等に、ひくいが鋭い声で、

「おい、行かねえかよオ」

インテリの卵というのはこういう場合、頼りにならない。自分たちまでがまきぞえをくっては大変と素早く計算した学生たちは、顔をこわばらせたまま、コソコソと足早やに去って行った。

「だらしねえヤロウよ」

愚連隊たちがちょっと、気をゆるめたこの瞬間だった。

ジャンパーを着た若者に監視されていた大隈卓彦が、

「ヒャァーッ……」

突然、金属をひっかくようなソプラノをあげてとび上った。

「こいつゥ……」

ジャンパーが手をのばしたが、その時はもう五、六歩先を大隈は飛んでいた。こちらをふりむいた人々の肩にぶつかり、若い娘をつきとばし、矢のように大隈は恥も外聞もなく、どこかに消えてしまった。

やっと事情がわかった路上の人々は一様に足をとめて、こちらをふりかえる。だがだれ一人として先ほどの学生と同様、助けようとしてくれる者はない。

「ガスさん、巴絵、今だ」隆盛も大声で叫ぶと、妹の横にいた白痴のような不良に体をぶつけた。巴絵の手をつかむ。走る。人々の間に割りこむ。巴絵の体がよろめく。

あとはおぼえていない。気がつくとガスさんはいない。隆盛は巴絵の手を持ったまま、ネオンの灯の光る大通りに出ていたのである。

真青な顔をして巴絵は電柱にもたれていた。肩が息で波うっているのがよくわかる。

交番は駅のすぐ前にある。その交番まで、ものも言えぬ妹をつれて警官に事情を話す暇もなく、

「来てください。お巡りさん。外国人の知り合いが悪い連中にかこまれてるんです」

隆盛はあえぎながら訴えた。警官は別に珍らしくもないといった顔で、

「どこですか、そりゃ……」と答えた。

だが、この時、わがガストンは……

ガストンといえども金切り声をあげて遁走した大隈や、「ガスさん、巴絵……」と叫びながら、隆盛までが走りだしたのを見て、自らのおかれた事情がはっきりとわかったらしい。遠くから恐怖と

好奇心とのまじった日で自分と愚連隊とをながめている日本人の群衆の方にノコノコと、でくのぼうのように歩きはじめたのである。

「ヨオ、ちと待ちな」

手の中で小さな玩具をもてあそんでいた白痴のような不良がよびとめた。

「写真、買わねえのかい」

「………」

「買うのか、買わねえのかい」

ガストンは立ちどまると、その長い顔に悲しげな微笑をうかべて首をふった。

「わたしの友ダチ……」

「ダチのことじゃねえョ。おめえだョ。バカじゃねえのか……おめえア……」

上着を肩にひっかけた兄貴分らしい男がゆっくりと近づいてくると、見物人たちも少しずつ後にさがった。男は白い目をむいてガストンの頭から足の先までジッとにらんでいたが、

「これが拳闘の選手かあ。ばか野郎」きつい顔をしながら弟分たちをふりかえった。「手をみろや、手を。こりゃあ拳闘やった手じゃねえじゃないか」

「………」

「西野、一発ヤキを入れてやりな」

西野とよばれたジャンパー姿の男がポケットに手を入れたまま、ガストンのそばによってきた。

愚連隊にとってはカコワイ高校生をいじめるよりは、有名なプロレス選手を脅かすほうが仲間に顔がきく。この牛のように体の大きい男を脅迫してみることは、たしかに自分たちの格を上げるこ

となるのである。まして相手が外人であれば……

「ヨオ、アメ公のくせによ、大きな面をして日本を歩きやがって……」

西野が白い包帯をまいた手をポケットから出して、空手の身構えをした時、

「さよなら、みなさん」ガストンは顔にひきつったような微笑をうかべてあいさつをした。「さよなら」

突然、西野の体が軍鶏のようにとびあがると、その両手、両足がガストンの腹とひざとにぶつかった。

「オウ！」

大きな体をくの字に曲げてガストンは、

「オウ、ノン、ノン、……チュ、マ、へ、マール」

「野郎」

あまりの痛さに日本語を忘れたのか、身もだえして何かうめいているガストンを、西野はさらに……二撃、三撃、足でけりあげる。とりまいていた見物人はつばをのみこんで、この奇妙な風景をみていた。半分の痛々しい同情と、半分の快感と――ちょうど小さな力道山が大きなシャープ兄弟をやっつけた時の日本人特有の快感を、群衆はたしかに味わったにちがいない。だれもガストンを助けようとはしなかった。

やがて、ガストンは大きな手をゆっくりとあげた。西野の顔をジッと見つめた。人々は、この外人が遂に怒ったのを感じたのである。……

けれども——

ガストンはさしあげた両手で……長い山イモのオバケのような顔を覆ったただけであった。顔を覆ったまま、しばらくの間、じっと動かなかった……

かたずをのんで何かを期待していた見物人たちは静まりかえったまま、この異様な外人の一挙一動を注目していた。愚連隊の連中も——次の攻撃に移ろうとして軍鶏のような身構えをした西野もあっけにとられて、相手を見あげていた。

「オウ……ノン、ノン」

手を離したガストンの目から数珠玉のような涙が流れた。

「オウ、ノン、ノン、……いけません」

「…………」

「なぜ、わたし……いじめます？」

「…………」

まるで大きな牛が主人にむちうたれる度に、ポロポロ泣いているようだった。鈍重な牛でも不法にいじめられれば涙を流すのである。ガストンの長い馬面にはその牛の暗い悲しみがいっぱいにあふれていた。

「チョッ、大きな図体をしてヨ、泣きやがってヨオ……」

愚連隊の一人が——手に玩具をもてあそんでいた例の白痴のようなチンピラが、吐きすてるように言ったが、その声はしらじらと流れていった。

「みんな、友だち……」ガストンは途切れ、途切れに訴えた。

「みんな、友だち……」

「………」

「なぜ……なぜ……」

「………」

「なぜ……なぜ……」

見物していた日本人たちは顔をそむけて散らばりはじめた。上着を肩にひっかけていた愚連隊の兄貴もプイと……うしろをむくと歩きだした。なぜかわからぬが、だれもが後味の悪い屈辱感に心をみたされていた。なぜかわからぬが、だれもが寂しさとも悔いともつかぬものに胸をしめつけられていた。

人々が立ち去ったあとガストンはまだ一人、同じ場所に同じ格好で棒立ちになっていた。やっと巡査をつれてきた隆盛が思わず、

「ガスさん」

大声をあげてその手を握ると、ガストンは子供のようにはにかんだ笑いをその口にうかべた。けれども彼のズボンが少し裂けて血のにじんでいることに隆盛は気がついた。

一時間後、交番でいろいろ質問をうけた隆盛と巴絵とはタクシーにガストンをのせて、

「痛むかい、ガスさん」

「だいじょうぶ」

隆盛はそのまま口をつぐんで黙っていた。彼もまた先ほどの日本人たちと同じように、このガストンに対して悔いとも寂しさともつかぬものを感じていたのである。

（おれはなぜ、彼を捨てて逃げたんだろう）

巴絵は窓を通りすぎていく新宿のネオンの灯をながめながら、

（男のくせに泣くなんて……意気地がなさすぎるわ。こんな大きな体をしているのに、なぐられっぱなしなんて……）

そう思いながら、しかし母親が不具の子供に持つ、あのあわれみにも似た気持をはじめてこの男に抱いた。

経堂に戻るタクシーのなかで、さすがに三人の言葉はとぎれ勝ちであった。ガストン自身もふさいで、なにかを考えこんでいる。

（ガスさんを夜の町なぞ連れて来るんじゃ、なかった――）

のんき者の隆盛もいまさらのようにそのガストンに申訳ない気持で、

「ガスさん、気を悪くしないでくれなあ。日本人の全部が全部、今日みたいな人間じゃ、ないんだから」

ガストンは車の前方をみながらコックリうなずいた。コックリうなずいても、彼の心が傷つけられたにちがいない――そう、隆盛は思う。はるばる海を渡って、あこがれの日本に来て、日もたたぬうちに、その日本人になぐられたり蹴られたりすれば……

「巴絵、弱ったことになったねえ」

ため息をつく兄のしおれた顔をみて、巴絵は、

「元気、おだしなさいよ。うちに帰ったらあたし、すてきなお菓子やいて、ガスさんとお兄さま、もてなすわ」

と、慰めた。

だが家につくころになるとガストンはふたたび愛想よくニコニコ笑顔をつくりはじめた。唇に指をあてて……

「お母さんとマーちゃんとにあのこと黙りましょう。なにもしゃべらない」

と、言うのである。

「わたし、ころんで、ここをコワしました」裂けた自分のズボンを示して、「そのつもりします。OKか」

ガスさんが母の志津やマーちゃんに心配をかけまいとする心情は兄妹にもありありとわかる。

（弱虫で意気地なしだけど案外善良な心の持主だわ、この人）

はじめて巴絵はガストンの美点にふれたような気がして、改めて彼を見なおした。

ところが、その夜、イヤな思い出を忘れるため、巴絵が腕によりをかけて作ったタルレット・ケーキをうれしそうにパクリ、河馬のような大口にほうりこんでいたガストンは、

「隆盛さん」急に口を動かすのをやめて隆盛の方をふりむいた。

「大事なお話、あります」

「なんだい、ガスさん」

ガストンは少し当惑したように母の志津や巴絵の顔をみまわしていた。なにかここでは話をしにくい様子なのである。

その気配を察した隆盛が、

「ガスさん、二階にいこうか」

「はい、はい」

隆盛につれられてガストンは二階にゆっくりと上っていった。

茶の間にのこった巴絵はラジオをまわしながら、二人がおりて来るのを待っていた。彼女も急に真顔になったガストンが、自分をよんでくれないのが不満だった。それに一体なにをうちあけるのか、興味があったのである。

ラジオは巴絵の大好きなタブーを演奏していた。だが、隆盛たちはまだ二階にとじこもっている。

(聞きにいってやろうかしら)

そんないけないことを考えるのも、巴絵が女性という他人の秘密を知りたがる種族であるから仕方があるまい。

やがて二階の階段をトン、トンとおりる隆盛の足音がした。その顔はいつになく厳粛である。

「なに……お兄さま」巴絵は目を光らせて小声でたずねた。

「それがガスさん、家を出ていくと言うんだ」

隆盛は帯の間に手を入れて答えた。

一人ぽっち

「家を出ていくですって……」

「うん、……」隆盛は柄になく目をしばたたいた。

「あたしたちのことが気に入らないのかしら。こんなに一生懸命にお世話したのに。……ひどいわ」

「いや、そうじゃない」

「じゃ、さっきの事件がショックだったのね。あの人、日本に幻滅して気がめいったのね」

そうだ。それにちがいない。あたしたちも悪かったけれど、ガストンだって意気地なしだわ。沢山の日本人ですもの。どんな木にだって腐った果実ができる。たまたま良からぬ日本人に出会ったからといって、そのために急に神経質になるなんて男らしくないわよ……

巴絵は鼻をピクピクさせて不満を示した。

「初めは……おれもそう思ったんだがね……ガストンはおれたちに別れるのはそんなためじゃないと言うんだ」

「じゃ、なんなのよ」

「もっと多くの日本人を知りたいんだって。いろんな日本人を見てみたいんだって……」

隆盛は妹のそばに腰をおろして、和服のひざを両手でかかえながら、その上にアゴをのせた。しばらくの間、彼は畳の一点を見つめながら、なにかを考えているようだった。

「変な男だなあ……あのガスさんは……」

彼はポツンと言った。

「ふしぎな男だよ。ありゃ、決してなみの旅行者や観光客じゃないぜ。……早い話、あの男の興味をひくのは東京タワーでも鎌倉の大仏でもないんだからねえ。今日までだってガスさんはイヌさんとコドモさんばかり見て歩いていたろ。……おれには興味シンシンだが、さっぱりワケがわからん」

「でも目的があって日本に来たんでしょ」

「それも聞いたんだがね、ヤッコさん、恥かしそうな顔をして言わんのよ。じゃあ目的がないのかと言えば……そうでもないらしい。何か、やるつもりがあるらしいんだがね」

「まさか……密輸とか、自衛隊の秘密を探るとか、そんなんじゃないんでしょうね」

ちかごろ香港やシンガポールのあたりから国際都市東京をねらって続々と外人の密輸業者がはいりこんでくる。巴絵のつとめているビュタフォコ貿易会社でもそんな話題がしばしば出るのだった。

「ばかだなあ、巴絵は……」隆盛はガストンを残してきた二階をチラッと見ながらため息をついた。

「春ふかし、隣は何をする人ぞ……か」

そのガストンがミシリ、ミシリと階段をおりてくる足音がきこえる。茶の間のふすまをそっとあけて、例の馬面を恥かしそうに入れながら、

「ゴメエなさい……」

「まあ、ガスさん、ここにすわんなさいよ」

ガストンは茶の間にはいると、巴絵の顔を少し寂しそうに見ながら不器用に両ひざを折った。

「トモエさん。兄さんに話しました。本当にしんせつ感謝です。でもトモエさんにフランス語で、オー・ルボワール（さようなら）言います……」

隆盛と巴絵は口をそろえて、自分たちの家にとどまるように勧めたが、ガストンはただ頭をひくくたれて、

「ありがと、ありがと。でもわたしネ……」

オウムのように繰りかえすだけなのである。

「ガスさん……そりゃ、日本人に沢山会いたいと言ったって、ぼくの家に泊っていてもだよ、十分見られるんだぜ」と隆盛も反対したし、

「そうよ……どんな方にお会いになりたいの？　できることなら、あたしたち……何でもしてさし上げるわよ……ねえ、お兄さま」

巴絵も相づちをうったが、不器用に両手を長いひざにおいたガストンは今夜ばかりは人間が変ったように首を縦にふらなかった。

「そうか……、仕方ねえや。巴絵、ガスさんのよいようにしてあげようよ」隆盛もやっとあきらめて、「でもねえ、ガスさん、いつでも戻ってきなさいよ。日本にいる間はここが君の家だと思ってさ」

しんみりとつぶやいた。

話がきまるとガストンは立ちあがった。自分の部屋からなにか横文字の新聞紙につつんだ小さなものを四つもってきて、その二つを、

「これ、隆盛さん、これ、巴絵さん」

あとの分はもう寝室に退いた母の志津や女中のマーちゃんにあげてくれと言うのである。

「ガストンさん、まさか、今夜、出ていかれるんじゃ、ないでしょうね」

巴絵があわててたずねると、

「今夜……今から」

突拍子もないことを言いだすのである。

「ガスさん……一体全体、そりゃ無理ですよ。第一、君には泊るところだってないじゃないか？」

「だいじょうぶ。だいじょうぶ。わたし船で甲板にも寝ました……」

ニヤニヤ笑っているのである。

「お母さまとマーちゃん呼んでくるわ……」

部屋から出ていった巴絵の話をきいて、母の志津も再三、思いなおすようにガストンに言ったが、相手はなにを決心しているのか、今度は哀願するように、

「わたし、いくじなし。明日になると心ダメ。隆盛さんの家にまたいたくなります」

隆盛や巴絵を見ながら自分の無礼をしきりにわびた。

「お泊りになるところをどこか御紹介したら……」

母の志津はそう心配したが、さすがに隆盛はガストンがなにか普通以上の覚悟をしているらしいのを見てとって、

「いや、このまま送り出したほうがいいようですよ」

例の信玄袋に似たサックを手をぶらさげて、ガストンは家族の者に送られながら玄関に出た。あまり突然の出来ごとにマーちゃんは靴を出すのも忘れてポカンとしている。

そのマーちゃんにも手をさし出して、

「マーちゃん、さよなら、ありがと」

少し涙ぐんだような表情でガストンは礼をのべた。

「さよなら、ガスさん。戻ってこいよ」

もう一度、闇の中でガストンの大きな体がこちらをふりむくと、手を不器用にふって、

「あっ、あの犬だわ……」

ガストンが可愛がっていた例の老犬がどこから現われたのか、彼のあとをヒョロヒョロとついて行った。

「なにがなんだか、あたしにはわけがわからない」

玄関の上り口に腰をおろして巴絵はつぶやいた……

星がまたたいている……

鋭く光る星もあれば、やさしくうるむ星もある。その星くずのきらめく銀色の夜空を見あげていると、自分の体にも翼がはえて、吸いこまれていくような気がする。

子供の時からガストンは星を仰ぐのが好きだった。日本にくる船の甲板でも、深夜、空を見あげて……あさがたの乳色の空に地中海で見た星、アフリカの暗い夜空に光っていた小さな星、インド洋の上にも今と同じように無数の星がきらめいていた。

星は変らないが、自分は——思えば遠く日本まできたものだ。そして今夜、また一人ぽっちになってしまった。

どこへ行こう。どこに行くあてもない。今夜泊る場所もない。しかしこれは自分が選んだ生き方なのである。

「犬さん」

彼は自分の足もとにうずくまった老犬に声をかけた。

「犬さんもわたしと同じ宿なし」

彼が歩きだすと老犬はセキをしながらヒョロヒョロとついてくる。

「ノン、ノン、犬さん。さようなら」

だが、老犬は顔をあげてガストンの顔をじっと見あげた。

その目がいかにも悲しそうで、自分を捨てないでくれと、訴えているようで……ガストンは腰をかがめると、大きな掌でその犬の頭をなでてやった。老犬の悲しげな目をみていると、その言いたい言葉がわかるような気がする……

飼ってくれる主人もなくて、みにくくて、年をとって……こんなにセキまでして……

まるで自分にそっくりひとりぼっちなのである。ガストンはまだ若いけれども……図体ばかり大きくて、意気地がなくて……

この老犬もきっと石をぶつけられたり、追いはらわれたりしてきたにちがいない。同じようにガストンも子供の時、兄弟や友だちにいつも嘲笑されたり、ばかにされてきたのである。

ガストンの生れたサボア地方では間のぬけた大男のことをポプラの木とよぶ。ポプラの木はマッチの棒にするほかは材木にも柱にもできぬからだ。だからガストンは友だちからポプラとアダ名をつけられていた。

でもガストンは人間を信じたかった。この地上の人間がみんなナポレオンのように利口で、強い人ばかりではないと思った。この地上が利口で強い人のためにだけあるのではないと思った。

自分やこの老いた犬のような――

弱くて、悲しい者にも何か生きがいのある生き方ができないものだろうか……

あの空の星のなかにもきっと自分たちと同じような星があるにちがいない。鋭い光を放つかわりに、弱々しい、しかしやさしく光る星だってあるにちがいない。意気地ない自分だが懸命に生きれば、そんな星の美しさのひとかけらでも奪うことはできないかしら……

「一緒に行きましょう、犬さん……」

ガストンは立ちあがると歩きだした。野良犬はゴホン、ゴホンとセキこみながらあとをついてきた……

キツネは穴あり、空の鳥はねぐらあり

宝石をまき散らしたように夜空に光る星を見あげながら、ガストンは犬と一緒に道を東にとった。電車は動物を乗せることを禁じているし、タクシーを使うことはガストンの懐ろには痛かった。だが自分を慕ってうしろからヒョロヒョロとついてくるこの野良犬に、

「さよなら」

そう別れを告げるのはガストンにはつらかったのである。

ほかにとりえのないガストンだが、テクシー、つまり歩くことだけは自信がある。けれどもまず今夜、一夜の眠りを結ぶ宿屋を発見することが先決の問題だった。もっともベトナム号の甲板にも寝ころがってきた彼であるから、適当な駅のベンチや教会の階段さえあれば、夜の明けるのをそこで待つぐらい平気である。

見もしらぬ自分にあれほど親切にしてくれた隆盛さんや巴絵さんには悪いが、こう一人ぽっちになってみると孤独と自由の楽しさが久しぶりに手に戻ってきたような気がする。珍らしい東京の町をだれにも迷惑をかけずに歩くことはガストンにとって長い間の夢だったが、

（東京とはなんと ひろい町であるか……）

ここが地図にかいてある渋谷かと黙って、ネオンのきらめく人通りの多い盛り場で足をとめると、東京のはずれの三軒茶屋だった。東から西まで二時間も歩けばたどりつくフランスのパリにくらべると東京は砂漠のようにぼうばくとしてつかみどころがない。夜の十時だというのにモンパルナスの昼間ほどの騒音と人の数である。

（こんな狭い場所にこんな沢山の人……）

ぎっしりとハチの巣のように並んだ木の家。ゲタをはいた男、赤ん坊を背負ったお母さん、うどん屋、パチンコ屋、すべてがガストンにとっては珍らしく驚異の種であった。ついこの間、隆盛さんが、

「ガスさん、東京は人間が多いだろ。人口問題が日本のガンだよ」そう言った言葉がガストンにもなるほどと思われてきた。

「シブヤ、どこ……」

盛り場の真ん中で煙草屋の店番をしている姉ちゃんにたずねるとこのマーちゃんによく似た娘は、

「あっち……」と東を指さした。

「ヤドヤ、ありますか……」

「ヤドヤ？」

「はい、ホテル」

すると、なぜかこの日本の娘さんは皮肉と軽蔑のこもった目つきでガストンを見あげると、なぜだろう、

「イエス――ホッ、ホッ、ホ」

と笑ったのである。

ガストンと犬とはふたたび道を東にとって三宿、大橋……隆盛にもらった地図をひろげてガストンは町の名を暗記する。もう経堂を出て二時間は歩いたにちがいない。

「犬さん、つかれたね」

ゴミだめのにおいをかぎまわっている相棒に声をかけたが、さすがの彼も足のくたびれをおぼえる。

キツネは穴あり、空の鳥はねぐらあり、人間も寝場所をもう見つけねばならぬ。

ところが――上通りの坂をのぼるとガストンは本当にびっくりした。右にも左にも、さがし求めていた宿屋とホテルが至るところ目につくのである。赤いネオンでＨＯＴＥＬとしるした建物、門灯に旅館とかいた日本家屋、「光音閣」「せきれい荘」「ホテル・スプリング」「旅館三平」……こんなにホテルと宿屋の集中した盛り場をガストンはフランスでも、ほかの国の町でも見たことはなかった。観光国、こんなに日本は旅人を優遇するのである。

（日本はやっぱりしんせつな国……）

ガストンはしみじみ感心した。

「丘の上ホテル」と、真赤なネオンが明滅する建物の前で、ガストンはもう一度、観光日本の行届いたサービスに気がついた。

宿泊　八百円

御休憩　四百円

パリの有名なホテル、リッツでさえ、これほど旅客に親切な掲示をしてくれない。ホテルの客にとって部屋の値段と自分の予算とのつり合いを知らぬ時ほど不安なことはないから、本当のサービスとは「丘の上ホテル」のように御休憩の値段まで表通りに公示することではないのか。

「ごめえんください」

すっかり感心したガストンは相棒の犬さんをつれて、そっと玄関に首を入れた。ホテルにしてはロビーもフロントもないのがふしぎだったが、もう一度、

「ごめえんくださぁい」

廊下の遠くからバタバタと足音がきこえた。

「……らっしゃいまあし……」

勢いよく走り出てきたのは和服を着て唇を赤くぬった女中だったが、ガストンを見るなり驚ろいたように立ちどまった。

「一晩ねます部屋ありますか。八百円」

八百円と念を入れたのは懐中の乏しさを思いだして念には念を入れたのである。だが……

「………」

女中は黙っているのである。

「一晩ねます部屋……ありますか」

「お一人なんですかア」

なぜか女中はけげんそうな顔をしてガストンの頭から足の先までジロジロと見まわした。

「はい、一人……それとこの犬さん……犬さんは外にねます」

急に気味わるそうに女中はあとずさりをすると、

「谷田さあん、ちょっと、きてよ」

大声で叫ぶと姿を消した。だが廊下から彼女のヒソヒソ声が、

「奇妙な外人なんだよ。一人で泊るんだってさ。どうする?」

「一人?」答えているのは男だった。

「一人なの」

「困るじゃないか。アメ公かい」

「わかんない」

「しょうがないねえ、マーガレットに案内しな」

ガストンといえども二人の会話の調子から、自分が歓迎されざる客であるらしいことを感じとった。なぜ一人ではいけないのだろう。なぜ一人の客を日本のホテルはよろこばないのだろう。

(セ・サ・セ・サ)

ここに至ってやっとガストンもこの「丘の上ホテル」が観光日本のためにあるのではなく、別の厳粛な目的のために経営されていることに思いあたった。自分には縁のないところである。きびすをかえし、ノコノコと出ていこうとした時、

「じゃ……あがって下さい……」

女中にスリッパをそろえられて気の弱い彼は仕方なく、

「犬さんも……」

「まあ、この人、犬がいるんだよ」女中はイヤな顔をして、「谷田さん、お客さん犬つれてるんだ

ってサ」

その時、ガストンのうしろから同じようにとびらをあけてはいってきた一組の男女があった。男は中年の日本人でジェネラル・トージョーそっくりの顔だったが、女はガストンを見ると急にショールで口をおおって男のかげにかくれた。……

「らっしゃいませエ……」

女中はガストンに対した時とはうって変った愛敬のある声を出してこの男女をむかえた。

唇を真赤にぬった女中につれられて廊下を歩きだした。廊下はシインと不気味なほど静かである。どこかに湯殿があるのか水の流れる音だけがきこえて……背の高いガストンは首をカメの子のように縮めながらあたりを見まわすと、

ローズ……チェリー……ヒヤシンス……

花の名前を書きつけた札をぶらさげて、どの部屋の前にもスリッパが二組、ぬぎ捨てられていた。ここではガストンのようにノコノコと一人で泊りにくるアホウはいないのである。だが、なぜかどの部屋も灯を消して、異様なほどひっそりとして……

ルーム、マーガレットと書いた部屋の前にくると、女中はカギを穴にさしこんで戸をあけた。くさかった。壁やペンキのにおいではない。さっきまでここにいた男と女の体臭がまだ残っているのである。

「外人さん、うちじゃ……マニーは先にもらうんですよ」と唇を赤くぬった女中は言った。「マニー、お金……」

用事をすませたあと夜逃げをする悪い男女がいるのであろう、この種のホテルでは泊り客から金

を先にとりあげる。びっくりしたガストンをもう一度、さげすむように見て女中は廊下に消えてしまった。

ガストンはベッドの端におそるおそる腰かけた。明日からはこんなところではなく、本当に寝られる場所をさがしましょう……

「おい、ミッちゃん」

突然、壁ごしに男の声がきこえる。

「おれナ、便所さ、いきてえだ」

「うるさいわねえ……寝かしてよ……」

「薄情なこといわず、起きてくんろよ」

「うるさいなあ……洗面台のなかにしてしまいなさいよ……」

ガストンはビックリして耳をすました。安物のテーブルの上に油虫がはっている。息をこらしていると壁のむこうから、

サラ、サラ、サラ……

かぼそい水の流れるような音がきこえてきた。男が女に言われたように部屋のすみにある洗面台のなかにおしっこをしているらしいのである。

サラ……サラ……サラ

目をまるくしてガストンはベッドからとびあがった。これはいけない。ほかの客が顔を洗う洗面台の中に、そんなことをしてはいけない。ガストンは口に手をあてて、大きなセキのまねをしてみせた。

かぼそい音が急にとまった。それから水道のせんをひねる気配がして、今度は本当の水音がきこえだした。おしっこの音をそれで消しているらしい。

旅なれたガストンではあるが、もう顔と手を洗う気もなくなるほど仰天して、ベッドの上にショソボリ腰かけていた。それでも経堂から渋谷まで歩いた疲れで、まぶたがおのずと合わさってくる。

（隆盛さん、巴絵さん、ボンヌイ……）

トイレにいくためにおそるおそる廊下に出た時、ガストンは奇妙なものを見た……

一人の日本人の女が廊下の窓をあけて、外にとび出ようとしているのである。さっきガストンと玄関で出あった——ジェネラル・トージョーそっくりの男とつれだってきた女性だった。

彼女はガストンに気がつくと、おびえた顔をしてあとずさりをはじめた。

何を入れているのだろう、足もとにかさばったふろしき包みをおいたこの女は病気なのか、うすよごれたほうたいを首にまいていた。外人のガストンには日本人の女の顔がみな能面のように無表情に見えるのだが、この女はやせこけて背もひくかった。

しばらくの間、女はこの気味のわるい馬のような外人をおびえた目で見上げていたが、……

「なにサ、あんた……」

急にすてばちな声をだした。

なぜ相手が怒りだしたのか合点がいかぬガストンは、例によって弱々しい微笑を浮べた。

「フン……きらいだよ、アメ公なんか」

「オウ……」

「うるさいね、あっちお行きったら」

この時である。廊下のむこう、二階にのぼる階段の方角から男の叫ぶ声がひびいた。

「おい……だれか来てくれ、だれか……」

突然、女はキョロキョロとあたりを見まわすと、ふろしき包みをつかんで小ネズミのように身をひるがえした。だが、女中部屋に電気がパッとともったのに気がつくと、おびえた顔をこちらにむけて叫んだ。

「どこ、あんたの部屋、どこョ、あんたの部屋」

まだドアのあいているガストンの部屋にすばやく身をかくして、

「ね、お願いだよ」

「………」

「ね、お願いだよ」

「………」

女はドアのノブをしっかりと握りしめると、廊下の気配をうかがいながら哀願した。

ガストンはポカンとして女のゆがんだ絶望的な顔を見おろした。

「助けてよ、あんた……」

理由はわからないが手まで合わせて、この女はたのんでいる。その合わせた手が針のように細長くやせて……

廊下ではさきほどの男や女中の声が入り乱れはじめた。

「小便しよったんや、あのパンスケめが……」

「まあ、あの子……小便したんですか」

なるほど……大きな顔に微笑をうかべてガストンはうなずいた。この女は隣室にいた客のように
（ショウベン……）

便所にいきたくなったのだろう。そしてあわれにも寝床でもらしたにちがいない。女として最高に恥ずかしい、かなしいこと……子供のとき同じ失敗をして兄弟から軽蔑されたガストンには、彼女のゆがんだ顔や絶望的な目の色がはっきり理解できるのである。

「こっち……」

彼は指を唇にあてると窓をそっと指さしてやった。その窓にサルのように女は駆けよると、ふろしき包みをかかえたまま、白い短かい大根足を見せて外にとびおりたが、

「痛あッ」

地面に転げ落ちて大きな尻でもうったのだろう、悲鳴が闇の中からひびいた。

だが……その悲鳴を廊下の連中が耳にしたらしい。荒々しくガストンの部屋の戸をあけて、丹前をきた男と女中とがなだれこんできた。

既に女が闇の中に遁走したと知ると、ジュネラル・トージョーそっくりの男はガストンに情けなそうな声をだした。

「ほんまに……なんであの女を逃がしましてん……異人さん」

「ショウベン、あなたもしますネ。ショウベンしたこと怒ること、あなた、まちがい」

ガストンはマジメな顔をして言った。だが、この言葉に逆上した相手の男は顔を怒りで真赤にしながら、

「小便は小便でも小便がちがうんや、このアホウ」

「出ていけ」

午前二時だというのにネコの子のようにホテルから追いだされて……

自分のような愚かな男には他人を助けるということは、なんとむつかしい大それたことだろう。今度という今度もあのジェネラル・トージョーに似た男にこづきまわされて、

「日本語もよう知らへんのに、いらん手だしをしてくれたなア。……小便ちゅうのはな、あんた」

小便というのが日本語では二つの意味がある。ガストンが字引から習ったのは不幸にしてフランス語でピピイという生理的な排泄作用だけであった。だがあの男が怒りのためドモリドモリ身ぶり手まねでした説明によると、いわゆる娼婦が客から金をまきあげたあと、便所にいくと称してドロンをきめこむことがショウベンだそうである。

おまけに番頭にむかって、

「あの女、おれの洋服まで持ち逃げよったんやで。それを……あんたいくら外人やいうても……この男、弁償してくれますやろな。あんたの責任やさかい」

ガストンにはこの男の日本語がよくわからない。よくわからないが、男が自分の盗られた洋服代を彼に出せと言っているらしいことぐらいは想像がついた。

それをやっとホテルの番頭がとりなしてくれたが、

「外人さん、気の毒ですが出ていってもらいましょう。どうもやっぱり勝手のわからん客はうちのようなホテルには向かん」

さきほどガストンが払った八百円を苦々しい顔でかえすと、唇を赤くぬった女中に、

「おい、チズコ、あの野良犬も追いだしてしまえ。セキばかりしてうるそうてならん」

丘の上ホテルの玄関から犬と一緒に追いはらわれてしまったのである。

星は大きな夜空に相変らずまたたいていた。ガストンの長い影のうしろから、ヒョロヒョロと老犬がついてくる。

「黒百合荘」「光音閣」「青葉ホテル」――道のまわりにはまだ灯をつけた宿屋か旅館が並んでいたが、もうガストンにはそのいずれにも入っていく勇気がない。

（こんなに宿屋は沢山あるのに……）

東京にはこんなに宿屋が沢山あるのに、ガストンのような一人者には気らくに、心やすらかに眠れる場所さえない――ガストンはさすがに日本について矛盾をおぼえざるをえなかった。

道を更に東にとる。もう二時をすぎた渋谷は、どの店屋も戸を閉じて、街灯だけが老人のようにポツン、ポツンと点って……人影はほとんどなかった。

（なにをしても、失敗ばかり、ヘマばかり……）

しみじみガストンは自分のことを情けなく思う。今夜に限ったことではない。彼がすること、なすことはいつも同じあわれなぶざまな結末になるのである。一人の女を助けてやればホテルを追いだされるというような運命は、子供の時からガストンにつきまとっていたのである。

そんな男がみんなのためによいこと、美しいことなんか……できるものだろうか。

午前二時の渋谷は喫茶店も映画館も商店もよろい戸をおろしてシインと静まりかえっている。ガ

ストンもはじめてこのシブヤを見たわけだが、さきほどの三軒茶屋よりももっと大きな盛り場であることがすぐにわかった。

表通りには人影がない。裏道からは酔客であろう、大声でだれかが歌をうたっている。その歌が外人のガストンの耳にはなにか東洋的な哀調をおびてきこえてくる。アデンできいたもの悲しいアラビアの歌に似ている。

心細い。心細い以上に足もくたびれ、体も疲れた。それよりもまだ自分のうしろからついてくる犬があわれで可哀そうで、ガストンは道に立ちどまると、まだ灯のともっている店はないか、とあたりを見まわしたのだが、灯のともっているのは街灯と網戸をはりめぐらしたショーウィンドーだけである。

その時——

「ねえ、お兄さん……遊んでよ」

映画館と隣りの店屋との、真暗なすき間から小さな声をかけた者がいる。まるで幽霊のようにヌウッとその洞窟にも似た路地から——あのほうたいを首にまいた女が顔を出したのである。

「なあんだ」女はびっくりして声をあげた。「さっきのアメちゃんか……」

ガストンは悲しそうに目をしばたたいた。つもる恨みの数々ほどではないが、ともかく、この女のために自分は深夜、ホテルを追い出されたのである。とはいえ、気の弱いこのガストンはいつまでも他人をにくめぬ男だった。子供の時から、彼は自分をいじめる仲間の悪童に、どんな仕打ちをうけても、相手をにくむということのできぬ性格なのである。人をにくむということは、彼にとっては一番イヤな仕事だった。それよりもすぐ相手の善意や友情を信じよう、信じたいと思う心の方が先に走るのである。

だから、この女がさっきのことを全く忘れたような顔をして、

「どうしたのサ。あんた……あのドヤにいなかったの？」

肩をすりよせると、もう大きな馬面に例の愛敬笑いをうかべて……

「ドヤ？」

「宿屋だよ。あたし、おかげで逃げちゃった。窓をとびおりた時、お尻うってさ、まだ少し痛いけど……」女は腰をさすると、赤い歯ぐきを見せて笑いながら、

「あんた、どうしたのよ」

「ホテルのひと、わたし出しました」

ガストンは眠いということを示すために目をこすりながら答えた。

「へええ、あんた、追い出されたのかい……」

女はさすがに驚いてガストンの顔を仰いだが、その目はまだガストンを警戒していた。

「いつまでもここに立ってると、お巡りがくるんだよ。あっち行っとくれ」

「…………」

ガストンは二、三歩あるきだしたが、急に思いかえしたように、

「たべもの……」と言った。

「なにサ……？」

「たべもの、売る店、犬さん、わたし……」

彼は悲しそうに自分のお腹を指さした。女はジッとそのガストンを見つめていたが、

「おいでよ……」

それから映画館と隣りの商店との間の洞窟のようなすき間に姿を消した。まるでドブねずみのような早さだった。

ガストンは昔から……東洋の町があのアラビアンナイトの物語に描かれたようにナゾと神秘にみちみちた迷路にかこまれていると聞いていたが——

まさかトウキョウにまでこんな場所があるとは思わなかった。ドブねずみのような早さでやみのなかに姿を消した女のあとに大きな体をかがめながらついていくと、

「なにしてんのョ」

足の下から女の声がひびいた。

「ここだよ。階段だよ」

やっとやみになれた目で足元を見ると、なるほど石段がトントンと下におりている。映画館の大きな壁が上にそびえている。つまり火事や地震のような非常の場合、映画館内の人間がここから逃げられるのである。

その地下におりると、女が懐中電灯の光をこちらに照してくれた。ガストンは大きな手で額の汗をぬぐった。足元には見おぼえのある先程のふろしき包みがおいてある。

「声だすんじゃないよ」

女は懐中電灯をパチリと消すと小声で命令した。「今、たべもの持ってきてあげるからサ」

それから彼女はふたたびドブねずみのように階段をかけのぼるとやみのなかに消えてしまった。

おずおずとコンクリートの地面にうずくまると、ガストンは両ひざを手でだいて、女に言われた

通りジッと息を殺していた。なまあたたかい息をはきかけながら、犬が彼の手をやさしくなめた。

空を見あげると無数の星が相変らずまたたいている。遠い国に来てその国の見もしらぬ女からこうして食物を恵まれるなどとは、夢のような気がする。ガストンは隆盛や巴絵のことを思いだす。

（トモエさんは自分をどう思っているのだろう……）

巴絵のあのツンと上を向いた小鼻をガストンは微笑しながら考えた。本当にあの兄妹はなぜ自分が遠い海をわたって日本に来たのか、ふしぎに思っているにちがいない。しかし自分の目的はまだどうしてもあの二人には話せなかった。いつかは打ちあける時が来るかもしれないが……それまでに自分はもっと沢山の日本の人を見て、ある決心をつけねばならないのである。

「一人かい……」

「それが……犬と一緒なんだよ」

階段の上からさきほどの女の声がきこえてきた。今度は一人ではなく、二、三人の女をつれて来たらしいのである。

懐中電灯の光が階段を照らし、泥によごれた靴やペチャンコのげたをはいた白い足がガストンの目にうつった。

「サー公、やばいじゃないか。そんなアメ公をつれこんだりして……」

「大丈夫だよ……あの男は……」

そして声は急にやんだ。捨てられたネコでも見るように三人の女はうずくまったガストンに懐中電灯の光をあびせたのである。

「ふうん、これかア」

懐中電灯に照らしあげられて目をしばたたいているガストンをのぞきこみながら、一人の娘が奇声をあげた。彼女は色のあせたセーターに男の子のようなズボンをはき、その上、真赤なハイヒールをひっかけるという奇妙な格好である。もう一人、これはみすぼらしい洋服にゲタをはいて、タマゴのように丸々と肥った女の子がニヤニヤ笑いながらガストンの横にしゃがみこんだ。その大根のような足のあいだからよごれたズロースが見えて、ガストンあわてて視線をそらせる。

「この人、マエモチ（前科者）かい……ムショ（刑務所）から出てきたんじゃないだろね」

「トウシロだよ」

ガストンの身なりが女たちの目にはアメリカのギャング映画に出てくる出獄した男のようにうつるのも無理はなかった。それに近ごろではこの東京でも麻薬や密輸でサツにパクられる外人たちも多いのである。

「ねえ、君枝、チョットいかすじゃない……この体」

ガストンにはさっぱり彼女たちの日本語がわからない。わからないが女たちが自分のことを話しあっていることだけは想像がついた。それよりもガストンを困惑させたのは隣りにしゃがんだタマゴのように肥った娘がしきりに彼の体を指でなでまわすことである。

「ゴメエなさい」

目をしばたたきながらガストンは頭にかむった帽子をとった。彼といえども礼節正しいフランスの人であるから、御婦人の前では脱帽すべきだろうと思ったので……

「アラ……日本語、話せるんだョ、この人ったら」

赤いハイヒールをはいた娘が驚ろくと、君枝と呼ばれた女の子はたかい声をあげて笑いはじめた。

「お黙りよ、お前たち……うるさいねえ」

さきほどガストンをここにつれてきたほうたいの女は二人をたしなめて、かかえてきた新聞紙を彼の前にひろげた。

欠けたサラの上にのっているのは何であろうか。黄色い丸いものは一目でムキタマゴとはガストンにもすぐわかったが、腐ったパンの切れはしをいくつも細い木の棒にさしたのは……

「おでんだよ、知らないの」

「知らないさ」君枝はムキタマゴに手をだすと、「外人だもん、たべたことはないさネエ……」

ガストンは悲しそうに笑ってムキタマゴを口にほおばった。

「アラ、たべたよ」

「ほんとだ」

まるで電気カミソリを使った動物園のサルでも見ているように三人の女たちは好奇の目を彼に注ぐのである。ガストンはそっとおでんの一つをとって横にしゃがんでいる犬さんに与えた。

「これ、あんたの犬？　名はあるのかい」

「はい、ナポレオン」

なぜナポレオンという名が口に出たのかわからなかった。だがこの瞬間からガストンは自分の祖先の名を相棒に与えることにきめたのである。

「わたしも犬さんも宿なし……」

彼は弱々しく微笑んだ。

「スがないんだってョ」

ガストンから話をきくと女たちは小鳥のようになにか相談をはじめた。

女たちにとっても――自分らの手にころがりこんできた少しヌけたような男が、大事なおもちゃのような気がしてきたらしい。珍しくもある。好奇心も起る。その上、外人といえば図々しいアメリカ人しか見たことのない彼女たちには、このガストンが気の弱い善良な人間とすぐわかったのである。

「金ないの、あんた」

ガストンはポケットから全財産を見せた。横浜の税関で日本円にチェンジした時、中年の税関吏が、

「オンリー?」

さげすむように言った三千円である。それに帰国の時の船切符。これだけがガストンの財布にはいっているすべてであった。

「三千円ありゃ、この人、どこにだって泊れるじゃないか」と赤靴の女の子が不満そうに言った。

「ばかだネ。明日はどうするんだい。明日もたべなくちゃならないんだよ、この人あ……」

さすがにほうたいの女は年上だけあって察しが早かった。

「お前さん、その金あ、大事に大事にとっときなョ」

母親が遠足にいく子供に注意するように彼女はその金をガストンのポケットに入れてやった。ガストンはなぜ、この淫売婦たちが自分に親切にしてくれるのか、わからない。さきほどの「丘の上ホテル」で客のものを盗んだ女が、今はうって変ったようにやさしい人間になっているのである。

「ええ、ダチ公のところはどうだい」

「やだよ。あんなスケコマシ。この人から三千円まきあげるにきまってるじゃないか」

「センセイはどうだべ……」

突然、君枝とよばれた肥った女が口を入れた。

「センセイねえ……ふうん」

三人の女はしばらくの間、だまって考えこんでいた。

「お前さん、センセイのとこに行くかい」

「はい、センセイ」

「変った年寄だけどさ……頼めばきっと泊めてくれるよ。それに仕事だってあるかもしれないしね」

衆議一決すると女たちは立ち上った。まるで殿さまのお供をするようにガストンとナポレオンとをとり囲んで、さきほどの階段をのぼる。

道玄坂は全く人影はなかった。

「これ……」

ガストンはポケットから一枚のお札をとりだして女に渡そうとした。

おくれよ」

「なにサ」

「たべもののお金」

「バカだねえ、ヤバイとこをスケてもらったのはあたしじゃないか。おでんぐらい、おごらして

どこをどう歩いているのか、ガストンにはよくわからない。国電のガードをくぐり、ドブ臭い臭気が鼻にプンとついたと思ったら、真黒な川が横を流れていた。その川にそってマッチ箱のような飲屋が映画のセットのように並んでいたのだが、路地にはもちろんこんな時刻には起きている店はなかった。

女たちは心得顔にペチャクチャしゃべりながら迷路のような道を右に曲り、左に折れて、どれもこれも同じような道をグルグルまわっていたが、やっと一軒の、もう戸をとじた飲屋の前まで来ると――

表戸ではなく、その横の戸をあける。どうやらそこから、ガストンの体がやっとはいるほどの狭い階段が二階に通じていたらしい。

「あんた、チョット待ってなよ」

首にほうたいをまいた女が先に立って真暗な階段をガタゴト、音をたててのぼった。

「先生ヨ……おじいさんてば」

中にいる人間を女たちが起しているらしい。やがてうす暗い電灯がパッと二階の窓についた。

ナポレオンが足もとでクンクンないている、あたりは静まりかえってかすかな物音もきこえない。

もう何時ごろだろう――とガストンは考えた。本当のことをいえばこわいのである。今から会う先生という人もどんな人だろう。見もしらぬ外国人の自分が、日本人たちの手によって、どのようなめにあうのかも想像がつかないのである。あの女たちはどうやら親切らしいが、新宿の経験からいっても、日本語がよくわからぬ自分は、うっかりすると早合点をしているのかもしれない。

だが――

どんな人間も疑うまい。信じよう。だまされても信じよう――これが日本で彼がやりとげようと思う仕事の一つだった。疑惑があまり多すぎるこの世界、互いに相手の腹のそこをさぐりあい、決して相手の善意を認めようとも信じようともしない文明とか知識とかいうものを、ガストンは遠い海のむこうに捨てて来たのである。今の世の中に一番大切なことは、人間を信じる仕事――愚かなガストンが自分に課した修行の第一歩がこれだった。

「ねえ、あんた……」

階段の上から女の声がした。

「のぼっといでよ。泊めてくれるってさ」

「はい……ありがと」

思った通り、階段は大きなガストンの体がやっと通りぬけられるほどの狭さである。それに天井がひどく低い。うっかりしたガストンは一、二度、頭をぶつけて、

「オウ、ズット！」

手で額をおさえた始末だった。

六畳の部屋のなかにはムッとした臭気がこもっていた。綿のはみ出たやぶれ蒲団の上に枯木のよ

うにやせた老人が足を前に投げだしたまま、壁にもたれていた。奇妙なことには、この老人はズボンの上に、ボロボロになった女の赤いセーターを着ていたのである。

「じゃ、先生よオ、あたいたち、帰るヨ」

女たちが口々に言葉をかけても老人は返事をせず、枕もとの土びんから茶わんに黒い液体をついで、ゴクゴクとのどをならしながら飲んでいた。

女たちが引きあげたあとも、老人はものを言わない。相変らず、茶わんを口にあててジッとガストンをにらむように見つめていたが、

「あんた、米国人じゃなかとね。どこから来んさった。……いや、答えんでもよか。答えんでもわしにはすべてわかるたい……顔ばこっちに出しなさい」

と言った。

言われるままにガストンは長い馬面を老人の前にさしだした。その顔を老人は更に長いあいだ、ジッと見まわしていたが、

「これは……これは……」

「ハイ、ハイ」

「うむ……ふしぎなお顔ですたい」

「ハイ、ハイ」

「うむ、この鼻の上にあるホシは英雄をば祖先にいただいとる相といわれとるが……」

老人は答えようとするガストンをさえぎって、

「わしは占師でな。自分の家に泊める人は人相を拝見することにしとるが。……こりゃ、たいし

た先祖をお持ちじゃなあ……」

老人の日本語はガストンには半分ほどしか理解できぬが、この老人が自分の顔から祖先のことを言っているらしいのは想像がついたので、「ナポレオン」と、小さな声でガストンはつぶやいた。

コトリと音をたてて老人の手から茶わんが赤茶けた畳の上に落ちた。

「ナポレオン……なるほど、それで合点もいく。まずわしの透視にあやまりはなかですたい。おわかりかな、人の顔を見てその運命、性格などを見通す——申しおくれたが、わしは川井蜩亭と呼ぶ東洋の占師です」

「わたしの名……ガス」

ガストンは隆盛からつけられた愛称をそのまま老人に教えた。

「ガス？　ガスと申すはここからでるガスですか」老人はまじめくさって自分のやせたおしりを指さした。「名前も面白いが、実際ふしぎなお顔ですたい……あんたのは」

「ハイ、ハイ」

「近ごろめったにお目にかからん人相じゃけん……」

それから老人は急に声をひそめて言った。

「あんた、なにか大きな志を抱いておられようがな」

「ココロザシ？」

「目的ですたい。ちゃんと眉と眉との間にそれが出とりますけん。なにをなしに日本に来られたんじゃね」

「………」

ガストンが返事をしなかったのは、この老人の日本語がよく聞きとれなかったためであるが、相手は一人で大きくうなずいて、

「いや、川井蜩亭、これは御無礼ばいたしました。今夜はゆっくり寝られて、明日お話しよう」

コロリ、今までの会話はすっかり忘れたように蒲団の上に横になった。

「毛布がそのたなの上にありますけん、使うてつかわさい」

それだけ教えると、この枯木のような老人は、もうイビキさえかきはじめたのである。

電気を消してガストンはごみくさい毛布を頭からひっかぶった。隣りの枯木のような老人は寝がえりもうたない。ノミがいるのか、ガストンの長い足をむずかゆく何かがはいまわりはじめた。この老人は一体、なにものだろう。東洋の絵によく出てくる仙人というのはこのような老人のことを呼ぶのであろうか。

翌日の朝ガストンが目をさますと、老人は相変らず女の赤いセーターを着て、七リンの火を部屋で起していた。

「起きられたとね。外に出て顔をば洗うてきなさい」

老人はむっつりして言った。

言われるままにガストンはサックを持ったまま、狭い階段をおりた。戸をあけると、寝そべったナポレオンが両手にあごをのせたまま、少し恨めしそうな目で彼を見あげた。

飲屋の女中であろう、女が一人、路地の端にある便所の前に立っていたが、ガストンを見ると仰天してこちらをながめ、立ち去っていった。水道はその便所のすぐそばにあった。

顔を洗って部屋に戻ると、老人は七リンから焼いたイワシをサラにとりながら、

「こんなもんじゃが、たべるかね」

しかし空腹のガストンにはイワシは今までになくうまかった。たべながら彼はナポレオンのためにそのイワシの頭をサラのすみに集めていた。

「どうしたとね」蜩亭老人はハシをおいてたずねる。

「犬さんの御飯……」

ガストンは当惑したように犬をつれてきたことをうちあけた。

「ほう……犬がお好きか」

老人はふたたび、ガストンの顔をじっと見つめた。

「あんたは、変った西洋人じゃのう」

「ハイ、ハイ」

「わしも人から変った人間と言われとる。昔はこれでも校長先生と言われたことがあったが」

と、老人は少し寂しそうな顔をした。

「今はこのようなところで占師となって、女たちの恋文を代筆したり、その愚痴をきいて生きとりますたい。……わしはもうつくづく、近ごろの日本がいやになってきてな……あんたら西洋の方から見ると、この日本の現状はどう映りますかな」

ガストンは悲しそうに微笑した。どう返事をしてよいのか、わからぬ時、彼はいつでも悲しそうに微笑するのである。

「こんな陋屋に住んどるだけでも、今の日本に何が失なわれてしもうたか、よくわかりますたい。

それは信ずるということじゃ。政治家もインテリもみなキツネやタヌキよりも猜疑心の強い人ばかりでな。政治家は理想を信じんし、インテリは人間を信じとりはせんですたい。悲しいことです」

枕もとの茶わんにあの薬湯をつぎながら、蜩亭老人は吐きすてるように言った。

「まだ人間を信じとるのは下におる人間じゃ。あんたを昨日送ってきた女たちも、体を売ったり人のものを盗ったりはするが、根はバカでもお人好しで、情のある女子ばかり。真心というものを持っとります。真心というものを持っとらんのは、あんた、この日本で……政治家とインテリと呼ばれる人たちですたい」

ガストンは両ひざに手をおいたままうなずいた。もっとも彼にはこの老人がイワシ臭いいきを吐きかけながらしゃべる話が、半分もわからなかったのであるが……

「真心……あんた、この言葉を聞いても今の若い日本人は感動もせん。そんなもんは世間をわたるのに通用せん無用なものと思うとる。貧しい国の悲劇ですたい。ミスター・ガス、貧しいのは物じゃない。心の貧しい国が今の日本じゃ」

枯木のような細い体をふるわせながら、蜩亭老人は悲憤慷慨したあと、

「いや、これは御無礼申しました。……ところでこれから、ミスター・ガス、どうなされるですと？」

「わたし……宿なし」とガストンは弱々しく微笑した。「犬さんとまた歩きましょう」

「さようか……」老人は腕を組んで考えこんでいたが、「そげん事情なら……ひとつ、わしとこに住んでみる気はなかとですか。わしは大いにあんたのその長い人相が気に入り申したし、西洋人と住むのは初めてじゃが、これも前世の縁と申すもんじゃけん……」

「わたし、金なしです。働らくことあれば、何かしたいね」

「その点なら……どうにか、なりますたい。……第一、あんたは西洋人じゃし、その西洋人である点をば考えて、サンドイッチマンなど、どげんじゃろうか」

「サンドイッチマン？」

「さよう、この渋谷にもかなりの洋食屋などありますからな。その店の宣伝をして歩くのがサンドイッチマンと日本人は言うとるのだが……それもよし。また、わしのように占師となって人の運命を見るのもよし……うん、西洋人の占師というのは、こりゃ、あたるかもしれませんぞ」

「占のことね、わたくし何も知りません」

ガストンが大きな顔を横にふると、蜩亭老人は、

「なあに……占などむつかしいもんではない。もっとも、あんたはわしのようにゼイチクをふりまわすのもおかしかろうから……ひとつトランプを使われるのはどげんじゃろうか」

「これは人をダマスこと……困ります」

「人をダマスのではない。迷うとる連中に元気を与え、勇気をつけること——これが蜩亭の占の目的ですたい」

それから老人は小声で弁解した。

「もっとも、ある程度はウソも使わねばならんが……しかしこれはよい目的のためのウソじゃ。まあ、今夜から手をとって教えて進ぜよう」

夕暮まで蜩亭老人はガストンをつかまえて占師に必要な幾個条かの原理をかんでふくめるように教えはじめた。

その第一は初手ということである。占師は初手で相手を信じさせねばならぬ。はなから相手の信頼をかち得ることが大切なのである。それには——

「男と女とによって話しかたを変えるですたい。たとえば主婦らしい女ならばじゃね、その手をじっと見て……こげんふうに感心して見せる。……あんたは損ばかりされとるなあ。本当は人がよいために、結局は損をしとられる……こげん言うて首を横にふる女子はまず、おり申さん。ミスター・ガス、このわけはおわかりかな」

ガストンが黙っていると老人は得意そうに黄色い歯を見せて笑った。

「わしの人間学によると、日本の女のうち、自分が損をしとらんと思うとる女子はまずおらんのです……長い間、日本の女性は男のために苦しんで損ばかりしてきよりましてな、頭にそのことがこびりついとるとです」

占師の「初手」にはまだいろいろな方法があるのだと蜩亭老人はさらに説明した。

相手が若い女性ならば、主婦に対する時とはちがった方法を使う。一番、若い女の信頼をかち得る無難な方法は——

「ホウ、これはめったに見たことのない感情線じゃ。感受性があんたは実に鋭い。……ああ、まことにフクザツな女性じゃな」

まず、こう言えばまちがいはないのである。なぜなら日本の都会に住む、たいていの若い女性は自分は人一倍、感受性が鋭く、フクザツな女だと思いこんでいるからである。あるいはもう一歩、進めて、

「そのフクザツな心のために、あんた、随分、悩まれたろうが……」

日本の若い女というものは悩むという言葉が大好きである。自分を悲劇の女と思いたがる。十人中八人まで、このように断言しても首を横にふる女性はまずないと、蜩亭老人は力説した。「あたしは、悲劇の女じゃないわよ。そうよ、喜劇的な女性だわ」――まれには酒をのんだ女学生や酒場の女がヤケのヤンパチ的に言いかえすこともあるが、そんな時は、

「いや、あんたは……顔で笑うて心で泣いとられる。わかっとるよ。まことにまことにフクザツな心の方じゃ」

さらに一押しすればコロリと参るのである。

「とにかく、こげん風に初手で客の信頼を得ておけば、あとはむこう様がこちらの申すことを聞いてくれますけん」

老人は占師の職業は結局、人心把握の術であるとガストンに強調した。

「あんたも若いころに――いや、御無礼、まだお若いから、女子を口説かれたこともおありじゃろうが……あれが占の初手の方法と思うてつかわさい」

ガストンは目をしばたたいた。彼が老人の奇妙な日本語を理解し得たとしても、不幸にして今日までこの長い馬面ゆえに若い娘から軽蔑されこそすれ、愛されたことは一度もなかった。まして気の弱い性格から、進んで相手を口説くなどとは夢にも考えたことはないのである。

だがそれよりも彼はこの蜩亭老人の善意ある申出をどう断わろうかと途方にくれていた。第一、トランプ一つ使う器用さも到底持ちあわせていない自分だし、たとえ持ちあわせていても、そのような巧みな弁舌を日本語で言えるはずはなかった。

夕暮になった。夕やみが次第にこの陋屋の二階にただよいはじめた。

「どれ、出かけますかい。まず今日はあんたも日本の下情を見られる軽い気持でな……」

蜩亭老人はボロボロの赤いセーターとズボンとをぬぐと、商売道具の羽織はかまに着かえる。家を出るとすでに飲屋の灯がともりはじめていた。門口に立っていた女中たちが、

「あら、おじいさん」と言いかけてはガストンに気がついて驚いた顔をする。どこで寝そべっていたのか、ナポレオンがいつの間にか、ヒョロヒョロとあとをついて来た。

「うちの客人じゃよ。バカな……アメリカ人じゃなか。フランス人じゃ。フランス人」

蜩亭老人は得意げに女中たちに説明した。

だが大通りに出た時、彼は少し悲しそうに、

「こういう商売にはシマの割当てがあってな。シマと申すのはわれわれを牛耳っとるテキ屋のナワバリですたい。日本ちゅうのは、やはりこげんな国じゃけん、あんたも西洋人じゃが、ここで商売をする以上は、一応あいさつすべきかのう……」

と、考えこんだ。

ただでさえ日本語はむつかしい上に蜩亭老人の言葉には聞いたことのないような単語が数多くはいる。初めのうちはこの老人の気をわるくすまいと、気の弱いガストンは大きな顔で相づちをうっていたが、さすがにそれにもくたびれてしまった。だが老人はそんなガストンの閉口した表情を無視してひとりでしゃべり続けていた。

「テキヤのほかに日本の盛り場にはヤクザもおりますたい。この一角もな、一年ほど前には、あんた、星野組というてアプレのヤクザが勢力ば、持っとりましたがな。昨年ある事件、起したもん

じゃけん、手入れをば受けて今は消えてしもうた。連中のおったころにはろくでもない事件ばかりありましてな。なんせ、人を殺すことさえ平気でやる人間じゃから」

「コロス？」

ガストンは老人の言葉のなかからやっと理解できた単語をとりだして、おうむのように繰りかえした。

「そうよ。星野組にはな、人殺しを専門とするのがおって……たとえば遠藤というのがこの殺し屋だ。それが、あんた、わしの教え子だった男ですたい」

もと校長と自称する占師は足をとめて寂しそうにガストンを見あげた。老人のくちびるは興奮のためますます早口に動きはじめる。

「偶然ですたい。むかし千葉の小学校で教えとる時、東京から転校しよりました子がおった。当時の子供はみんな丸坊主じゃったがね……この子だけは髪の毛を長う伸ばしとった。勉強も性質も一番で、あんた、その後、大学まで進みましたんじゃぞ……もっとも、わしとは二十年の間、音信不通だったが、それが偶然、再会した時はわしは占師、相手はヤクザの兄貴ですたい……戦争のおかげか真心を失うて人も信ぜん、世も信ぜん……当世のはやり言葉で虚無的というんじゃろ、そんな青年になりおって……しかも大学は出とるし、軍隊時代には拳銃がうまかったから星野組の中でも顔をきかしてなあ……」

老人はまだなにかをつぶやいていたが、ガストンはもう聞いてはいなかった。彼は道の両側の店の灯、映画館のネオン、うつくしい品物や雑踏する道を例によってキョロキョロ見まわしていた。渋谷駅の出口から一日の勤めを終えた人々の群れが吐きだされ、吸いこまれ、また吐きだされていく。パリでもシンガポールでも香港でもこれと同じような無数の人間が生きるために生きているだった。

その駅のちかくには生きるために蜩亭老人と同じような格好をした占師たちが暗いろうそくの灯影の下で客をぼんやり待っていた。若い占師もいる。老人と同じように年をとったものもいた。もし蜩亭につれられたガストンがもう十分早く、ここを歩いていたならば渋谷駅の改札口から吐きだされる人の群れのなかに隆盛の姿を発見したかもしれなかった。

だが蜩亭のおしゃべりが二人を再会さすことを妨げてしまっていた。銀行からかえりの隆盛はこの時、「お多福」という小さなおでん屋で南京豆をほおばりながら同僚の飯島と一本のビールを飲んでいたのである。

「隆盛さん、ツケのお勘定、早く払ってよッ」

女中にいくらしかられても平生、巴絵からどなられなれている彼はビクともしない。

「それがその……行くも帰るも別れては知るも知らぬも逢坂の関」

隆盛は心のなかで、ガストンのことをかみしめていた……

頭の上を国電がはげしい音をたてて通りすぎていく。そのたびごとにガードから二滴、三滴、えたいの知れない黒い水のしずくが歩道をぬらす。ナポレオンはゴミためのの箱をガリガリかきながらにおいをかいでいた。

暗いロウソクの灯のかげで、さきほどから蜩亭老人はみすぼらしいねこ背の中年女と顔をつきあわせて、小声でささやいている。ねこ背の中年女はときどき、自分の掌を見ながら小さくうなずいている。おそらく蜩亭老人は例によってあの初手の弁古で彼女の信頼を得たにちがいない。

「あんたは苦労の多い女ですたい。苦労性のためにいつも人から損ばかりさせられとる……」

二時間の間、客は二人しかなかった。はじめは恋人らしい男女が一組、次に今の女。客が去るたびに蜩亭老人は見料の百円を大きなワニ皮の財布の中に押しこんだ。

「ミスター・ガス。シナソバを食べますかい」

「シナソバ?」

「さよう。中国風のソバじゃが、なかなかおいしいもんですたい」

九時半ごろ、通りがかった屋台のシナソバ屋をとめて蜩亭老人はガストンに夜食をふるまってくれた。昨夜たべたおでんといい、このシナソバといいガストンにはすべて奇妙な東洋的食物だったが、いつも空腹の彼にはまずいはずはなかった。彼はその半分をたべ、残りの半分を惜しそうにナポレオンに与えた。

九時半から十時半までは客が一人もつかなかった。しかし蜩亭老人は辛抱づよく腰をおろして動かないのである。十メートルほど離れたガードのかげにかくれたガストンにときどき、声をかける。

「こげん風に坐っとるだけでよいんですけん、ミスター・ガス、ひとつトランプ占いでも開いたらどうじゃろね」

ガストンはこの老人にも、この老人の前にそっと手をだした今のねこ背の女にも、ふかい憐憫の情をおぼえていた。あのねこ背の女はひどく悲しげな顔をしていた。子供が病気なのか……それともこれからの自分の生活について途方にくれているのだろうか。ガードのむこうには昨夜のように無数の星がまたたいている。

（あの星と同じ数だけの人間がこの地上に生きている）遠い海をわたったガストンにはこのことがよくわかるのだった。（あの星と同じ数だけの不幸や悲しみや辛さが地上にちらばっている……）

ガストンはそうした人間のためになにかをしたかった。不器用は不器用なりに、のろまはのろまなりになにかをしたかった。だが彼はナポレオンをつれて歩く以外、なにもできぬ外国人だった。

十一時半——歩道の人影がすっかりまばらになった。電車がガードを震わせてまた一台、通りすぎた。そのガードから黒い水滴がまた落ちてくる。

「どげんしたんじゃろ……今夜は。さっぱりシケとるたい」

蜩亭老人は立ちあがるとガストンに店番をたのんで便所にいった。レーンコートのえりを立てて一人の背のたかい男がガードの下からあらわれた。病気であろうか、手を口にあててせきをしている。

彼はロウソクの光とそのそばに立っているガストンに気がつくと、急に足をとめた。陰気な暗いかげのある顔だちの男だった。

男の表情には暗いという以上に、陰惨な不吉なかげがあった。ほお肉がそげて、熱でもあるのか、目だけがギラギラと光って、

「おう」

ガストンの前に立ちはだかって、この男はしゃがれた声で呼びかけた。

「お前アだれだ」

「………」

「どこの者だい」

「…………」

相手の鋭い視線におびえたガストンは背後の壁にあとずさりをした。新宿で無法な愚連隊に襲われた時の恐怖が、心によみがえったからである。

「わたし……わたし、外国人」

レーンコートに手を入れたまま、男はガストンを目で調べまわしていた。が、急に体を二つにまげるとハンカチで口をおおって激しくせきこんだ。ガストンといえば、この顔色のわるい男をただぼうぜんとながめていた。

「じゃあ先生ア……」男は言った。「先生アどうしたい」

「ショウビンね」

「ショウビン？」

「いいえ、ショウベンですね」

ガストンはふるえ声で返事をした。日本語もうまく口に出ない。男は白いハンカチをポケットから出すと、つばのついた口をゆっくりぬぐった。どこかで十一時四十五分を知らせる点鐘がきこえる。点鐘のひびきは家々の黒い屋根の上を、星の光る空を、小波のようにひろがっていった。

「どうして、そこに坐っているんだい」

「わたし宿なし……先生しんせつ……わたし、先生の家にねむりましたね」

「ルンペンか。いつから泊ったんだい」

ガストンは昨夜からだと答えた。答えながら蝴亭老人が早く戻ってくるのを懸命に待っていた。

だが――洞窟のように暗いガードの下からは、だれの足音もきこえない。最終にちかい国電がたかい小刻みの音をたててガードの上を通過して行っただけである。

「じゃ、先生とは昨夜、はじめて会ったんだな」

「…………」

ロウソクの灯に照らされた男の顔にうすら笑いがうかんだ。

「そうかい。ちょっと手を貸してくれないか、異人さん」

「…………」

「助けてくれと頼んでるんだよ。ヘルプしてください。自動車がパンクしたのでタイヤをとりかえるんだから……」

男の言葉つきが急に丁寧になったが、それを見わけるにはガストンの日本語はあまりに貧しかった。

「頼むぜ……金ア……払うからな」

ガストンの臆病な心は本能的に相手を警戒していた。ついて行けば、何をされるかわからぬという不安が彼をしりごみさせたのである。だがその時、男はもう一度、体をまげてせきこみはじめた。

(ビョウキなのだろうか、この人は……)

お前はまた、人間を疑おうとしている……男のくるしそうな姿勢を見てガストンは心に言いきかせた。……なんのために遠い海を渡ってきたのか……なんのためにこの日本まできたのか……まだ人間を信ずることができないのか。

「わたし行きます」

ガストンは男について歩きはじめた。

ガードをくぐりぬけて左に折れると暗い裏通りだった。動物の腹のようなねずみ色のセメントへいがながく左に続いている。そのへいの横に黒塗りの車の影がぼんやり浮びあがっていた。

「前のタイヤでな」レーンコートの男はかれた声で言った。

「異人さんよ……車の中から道具、だしてくれ」

言われるままにガストンは、半びらきになっているドアの間から真暗な車の中に長い体を入れた。中から香水のにおいがした。

「ほら、奥に……座席のうしろ側に黒い包みがあるだろ」

とびらの外に立ってレーンコートに手を入れたまま男は声をかけた。

なるほど黒い布で包んだ何かの塊りか、座席と背後の窓との間にぼんやり見えた。

「これね……」

「そうよ。こわれものだから」男は体を入れて、「そっと……わたしてくれ」

こわれものと相手は言ったが、黒い布で包んだものはガストンの手の中でずっしりと重かった。銅か鉄かでできた物体らしいのである。

「坐りな」頭の上から突然、別の声がひびいた。

今になってやっと気がついたのだが、この時、前の運転台にも別な人間が寝そべっていたのである。

「遠藤さん、変なもの拾ってきたね」

そいつはひくい笑い声をたてながら、レーンコートの男に話しかけた。

「占師の年寄りア、どうしたんです」

「事情はあとで説明するぜ……まず車をスタートさせな」

ドアをバタンともう一度閉めなおすと、運転台の男は仰天したガストンの意志を無視してエンジンをかけた。車は鈍い音をたてて震えると道をすべりはじめた。

「わたし」

「わたし……」と遠藤と呼ばれた男はガストンの口まねをして、

「そのわたしは……僕たちと一緒に行ってもらうよ」

「犬さん」

「なに？」

「ナポレオンさん……」

ガストンはうしろをふりかえった。暗い電柱の灯にあのやせた犬が、懸命に車を追いかけてくる姿が、彼の目にチラッとうつった。思わずガストンは窓にしがみついた。

「ああ……ナポレオンさん、ああ……」

だが、ナポレオンはあまりにも年をとりすぎていた。病気だった。ヨロヨロと犬は電柱にぶつかり、あきらめたように立ちどまり、やがて小さくやみの中に消えてしまった。

生れて初めて——

生れて初めて、怒りと呼ぶ感情がガストンの胸の底から黒い血の塊のようにこみあげてきた。日本にきて初めて自分が助けてやったのがこの犬だった。犬というよりはこの二日間、生活を共にしてきた仲間だった。あのみにくい犬の目には自分と同じような悲しみがあった。自分がいなければ、あの犬は今日からどのように生活していくのであろう。

「わたし、おりる……」

ガストンは横にいる遠藤の肩をおさえつけた。遠藤の顔が苦痛でゆがむほどその力は強かった。黒い布の包が床におち、その中から一つの物体がころげ落ちた。それはコルトの拳銃だった。

山谷の夜

だが――

レーンコートの男は反撃も抵抗もしなかった。彼の肩を押えつけたガストンのヤッデのように大きな手をはらいのける前に、発作に襲われたのである。こぶしを口にあてて、彼ははげしくせきこんだ。

もしガストンがこの機に乗じたならば――二人の足もとに転がった拳銃をとりあげることもできたはずだった。だが苦しそうに体をふるわせて、その上、追いつめられた動物のように悲しい光を一瞬、目にたたえた遠藤の顔に気がつくと、気の弱いガストンは――愚かにも手を放してしまったのだった。

白いハンカチで遠藤はくちびるをぬぐった。そっとそのハンカチをひろげ、ライターの火で調べる。つばのなかに絹糸のような赤い血がまじっていた。その血を遠藤はじっと見ていた。

（この人……ビョウキ）

ガストンは窓に背をもたせて今の遠藤の悲しげな姿勢や暗い目の光を痛々しく思いだした。もう彼の心には先ほどの怒りの感情は消えていた。遠藤がゆっくりと足もとのコルトの拳銃をひろいあげた時も、ガストンはそれを妨げることはできなかった。

この間——

運転台の男は車を動かしながらきつい顔でうしろを時々、ふりかえっていた。もしガストンが遠藤を組伏せようとでもするならば、すぐ車をとめるつもりである。

「大丈夫ですかい、遠藤さん」

「ああ……」

「薬ア、ないんですか。あんた、薬を飲まねえから、いけねえ……」

「…………」

「今は肺病にもいい薬ができたというじゃないか。なおす気がないのかねえ……」

「なおったって仕方もないぜ」

遠藤はかすれた声でつぶやいた。

「おれみてえな殺し屋稼業が、いつまで生きれるわけはねえよ……」

それから彼はガストンをふりむくと、うすい笑をほおに浮べながら手にもった拳銃をさしあげた。この異人の馬のように長い顔が恐怖でゆがむのをゆっくり楽しんでいた。ひきがねに指をあてて彼はそれをゆっくりとひいた。

カチリ——

鈍い音がひびいたが、弾は出なかった。

「逃げるなよ、異人さん。……今度ア本当に弾が出ますからね。ユー・スピーク・イングリッシュ？」

「…………」

「アイ・セーイ、ユー・スピーク・イングリッシュ？」

ガストンは弱々しく首をふった。

「わたし……わたしフランス人」

「チャン」驚いたことにはこのレーンコートの男はフランス語で驚きの叫びをあげた。

「テ・ユ・フランセ？　モン・デュー」

発音には少し軽いなまりがあったが、はっきりしたフランス語だった。

「遠藤さん、フランス語を話せるんですかい」運転台の男がカーブをきりながらひくい声でたずねた。車は駒場から目黒にむかう広い道路を走っていた。

「ずっとむかしなあ……習ったこともあってな」

「このフランスの野郎、どうするつもりです」

「あの午よりの代りに使うね。いや、外人だけにかえっておれがトブのに役立つだろうな……」掌のなかで拳銃に弾をこめながら遠藤は答えた。道路の店々の灯はやさしくうるみながら、ともっていた。ガストンがこの車の中でふるえていることなぞ、道ゆく人々はだれも知らなかった。

一杯、ビールをひっかけて別れるつもりだったのが、例によって同僚の飯島と、「お多福」「ひろしちゃん」「ほった」

はしご酒の悪い癖が出て、四、五軒まわったのがいけなかった。いつものことではあるが、オヤッと気がついた時は——

渋谷東急デパートのチャイム時計が十二時のもの寂しい音をたてて告げていた。とたんに隆盛の酔眼には妹のきつい顔がちらついたのである。

むかしは深夜御帰館の際には勝手口からそっと忍び入ることになっていたが、これはマーちゃんが若だんなの苦境を察して気をきかしてくれたためである。ところが二か月ほど前に近所の岩見さんの家に泥棒がはいってから、巴絵は夜の十時になると木戸口も勝手口も門もかたくカギをしめる習慣を作ってしまった。だから隆盛は門こそ越えられるが、家のなかに突入するためにはどうしてもベルを押すより仕方がない。ベルを押せばトビラをあけるのはあの巴絵である。

「アパート住まいでいいなあ」

自由ヶ丘のアパートに下宿している飯島は東横線に乗るから、隆盛とは右、左の反対方角である。その飯島に別れぎわ、隆盛はしみじみと、

「アパートの一人住まいがうらやましいよ」

「ばかあ言え……。帰っても迎えてくれる花嫁さんがいるわけじゃなし……」

「イヤ……家にうるさい妹がおらんだけましだよ」

一人になって隆盛は自分の乗る電車の駅にぶらぶら歩きながら、今夜これから弁解すべき口実についていろいろ思案をめぐらした。

会社の宴会でなあ……上役へのサービスですよ……それが大学時代の旧友にバッタリ会ってね……その他もろもろの考えられるだけの口実は今日まで巴絵に対して使い果してしまっている。妹の

やつ、もうだまされはせんだろう。

このほかに土産物戦術という方法があった。百円のバナナを一包み買って玄関の戸がひらくと同時にパッと巴絵の手にのせるのである。「ビタミンC……栄養満点、うるわしい兄妹愛……」大声でわめきながら部屋にとびこむ。この手は時々は有効なのだが、今日はその百円札一枚もないほど飲んでしまった。懐ろにあるのはカラッケツの財布と定期だけ……

「あれッ……」

思わず隆盛が足をとめたのは、どこかで見おぼえのある一匹のやせ犬がヨロヨロとそばを通りすぎて行ったからである。よごれて、しりの骨がゴツゴツとび出たこの雑犬は、

「ガスさん……こりゃ、ガスさんが可愛がってた犬じゃないか」

隆盛はさっきから酒を飲みながら飯島にガストンの話をきかせていたばかりだった。たった一週間だけではあったが、遠い青空のどこかからフラリとやってきたような男。生き苦しいこの世ではめったにお目にかかれぬほどお人よしで、善良で、人なつっこかったガストン。

「あんな人間がまだ存在することを思っただけで……おれはなんだか近ごろ気が晴れてきたよ」

隆盛はそう飯島に自慢したばかりだった。

そのガスさんが可愛がった野良犬がヒョロヒョロそばを通りすぎて——暗い道の一角に消えて行ったのである。

「こりゃ……ガスさん、渋谷にいたんだな」

もう巴絵に対する言いわけも忘れて隆盛は犬のあとを走りはじめた。犬の見えなくなった道のかどで、一人の年をとった占師が店をたたんでいた。

車の窓にひびでも入れたように——

二すじ、三すじ……斜めに水の滴りがぶつかって流れだした。

「遠藤さん、雨だぜ」

そう仲間に声をかけられても、遠藤はぬれた窓に顔をじっと押しあてて黙っている。

「山谷にこのまま直行しますか」

「え?」

「山谷に行きますかね……それとも美地子んとこに寄られるかね」

「…………」

「遠藤さん、美地子んとこは、デカがすでに張りこんでるだろうからね。会いたいだろうが、ヤバイ(危い)こともたしかですぜ」

「うむ……」

「今夜ア、山谷にまぎれこんだ方が完全だと思いますがね」

「そうだな、あんたにまかせるよ」

拳銃をポケットにしまうと遠藤は煙草を口にくわえてガストンをふりかえった。

「すうかい、異人さん」

だがガストンはあきらめたように首をふっただけだった。遠藤のライターの炎が一瞬、赤く燃えあがり、大きな体をクマのようにまるめて、頭をかかえこんだこの外人の横顔をてらした。愚かなこの男もやっと自分がどのような状態にいるのかわかったとみえた……

目をつむって——

そう……目をつむってガストンはまぶたの裏に浮ぶさまざまの映像を追いかけていたのである。自分に食物を恵んでくれた女の子。枯木のような蜩亭老人……ガードがきしむたび黒い滴りが落ちて……ああ、それから車を追いかけてきたあのナポレオンのヨロヨロとした走りかた……

雨にぬれた夜の道は鉛筆のように真黒に光っている。数台の車がヘッドライトを光らせながら追いぬいていく。ガストンはそっと運転台をのぞきこんだ。夜光塗料をぬった速度計の針が四十キロを示していた。

「いけねえ……遠藤さん」

突然運転台の男が声をあげた。

「ポリが非常警戒をやってますぜ」

黒い河のように真直に光った道のむこうで提灯をふりかざしている男たちの姿が四、五人見えた。

「ポリ？」

「そうらしいですぜ」

「動くんじゃない」

遠藤はモソモソと体を動かし始めたガストンに、ひくい鋭い声をあびせかけた。それから彼はレーンコートのポケットに手を入れた。ガストンのわき腹に固いものがぶつかった。

「ヌ・ブジェ・パ……うつぜ。本当に」

大きな両手で額を支えながらガストンはあわれみをこうように遠藤を見あげた。

「わたし……帰りたい。……」

「異人さん……さあ、笑っておれに話しかけるんだ。ポリスの連中が車をのぞきこんでも話しかけるんだ。わかったな。笑って……」

「わたし……帰りたい……」

「わかってるよ。さあ、笑うんだ。パルル・ナンポルト・クワ……」

遠藤はうすい微笑を顔にうかべた。しかし拳銃をにぎった手をガストンの大きなわき腹にピタリと押しつけていた。

提灯を右手にかかげた若い警官が近よってきた。運転席の男は素直にブレーキをふんで車をとめた。

「サクレ、フレック、バ、オウ、ディアブル、ネ、ス、パ、ムッシュー」

遠藤は顔だけで笑いながらガストンに話しかけている。フランス語の単語をでたらめに並べて、いかにも談笑しているように見せかけているのである。

逃げるのは今だった。ガストンは制帽をかぶった幾分子供っぽい顔たちの警官を懸命に見つめた。わき腹に固いコルトの拳銃が押しつけられていること、自分がなにも言えぬことを、目だけで必死で知らせようとしたのである。だが、不幸にしてこの男の長い馬面は真剣になればなるほど、まるで笑っているように見えるのだった。

「フィス、ド、ピュタン、ド、クラボー」

「失礼します」警官は車のガラス窓を指先でコツコツとたたいた。「自分たち、非常警戒でありますから……」

「ケル、ペ、ランス、チェ」遠藤は相変らず笑いをうかべて、ガストンに話しかけている。ガストンが車の窓をあけると、コルトが先ほどよりもっと深くわき腹に押しつけられた。「カカ、メルド、ピピー」

「あ、外人の方ですね」

警官は少し恐縮して言った。

「コレ……」

ガストンは手に握っていた白い布を急いで彼に手渡した。遠藤が体をピクッと動かしたのが痛いほど感じられている。

「コレ……」ガストンは必死になって警官の手にその白い布を押しこんだ。キョトンとした警官が布をひろげると——長いヒモがパラリとたれさがった。

あわれや日本人の男性が使うふんどしだった。

「失敬、失敬」遠藤は苦笑しながら、

「この外人は……少し酔っとられてね。ユーモアのある人だが……行っていいんだろ、君」

「はあ」

若い警官はすっかりドギモをぬかれて肯いた。車はふたたび霧雨のなかを滑りだした。きいろい提灯の灯が次第にうしろに遠ざかっていく。

「驚ろいたね、全く……」

運転席の男がこちらをふりかえって、「こいつ、少しパーじゃないんですかい」

「パーか、どうか知らないが、おかげで助けて頂いたよ。異人さん、案外シャレたことなさるじゃないか」

同じ時刻——

隆盛は占師の蜩亭老人から昨夜来のガストンの行動について話をきいているところだった。

「そのわしが……ちょっと便所に行っとる間に消え失せてしまいましてな。このとおり荷物はおいてありますけえ、おっつけ戻ってくるとは思うとったんじゃが」

なるほどガストンのただ一つの財産である例のサックが地べたにころがっている。

「一時間も待ってまだ帰らんのじゃけん」

「どこに消え失せたんだろう、ガスさん」

「それが……合点がいかん」

「じいさん、そのゼイチクで占ってくれませんか、ガスさんの行方を……」

「いや……こんなもん」老人は恥かしそうに小さな声で言った。

「わし自身が信用しとりませんだすたい……」

雨はますます激しくなった。その雨のなかを車は一時間ちかくも走りつづける。頭をかかえてうなだれているガストンの耳には——

車のリズムある震動がさまざまの人間の言葉のようにきこえてくる。それは時には懐かしい巴絵の声であり、隆盛の声でもあった。

（逃げるの、逃げるのよ。ガスさん）

それから突然、このリズムは蜩亭老人の痛切な訴えにも変った。いや、それは蜩亭老人の声ではなく、もっと別な目に見えぬ存在のささやきだった。

(信じないの……どんな人間でも信じるつもりではなかったの……)彼の目ぶたの裏には夜空にきらめく星の光がよみがえった。ヨロヨロと最後まで自分を慕って追いかけてくれたナポレオンの姿も浮びあがってきた。

「つきましたぜ、遠藤さん」

レーンコートのえりをたてて遠藤は車の扉をあけると、

「おりな……異人さん」

雨が顔と首をぬらした。あきらめたようにガストンは、象のように大きな体をこの異国の黒い雨のなかにさらした。運転台の男が車につけたラジオのスイッチを入れると、甘いやさしい音楽がながれてきた。

やさしい人よ、つれなくしないで
恋人よ、つれなくしないで……

「じゃ、おれア失敬しますぜ」

運転台の男は扉をしめて手をふった。遠藤はうなずいてガストンの横にピタリと体をつけると、

「歩くんだ……」

雨のなかから動物の体臭のような吐気のするにおいが流れてきた。家畜小屋にも似た家が幾十軒も並んで、そのかたわらにカサをさした淫売婦たちが並んでいた。

「ドコ、ここ?」ガストンはびっくりして遠藤にたずねた。

「サンヤだ。山谷。……東京じゃポリスの手だってここはまわらねえ」遠藤は手で雨を防ぎながら不きげんに答えた。「だから……あんたも決心した方がよかろうで」

見まわすとどれもこれも旅館ばかりだった。だがあの渋谷の旅館街とはうって変って、どの家も掘立小屋以上に不潔でみすぼらしく、やぶれたガラス窓には——一泊、四十円とペンキで書いてあるのである。信じられぬほどの値段で泊めてくれるのである。

その一軒の玄関に遠藤ははいると、

「ごめんョ。コミじゃねえ部屋はあるかい、二人で泊るんだがね」

「蒲団つきで三百円ですがね」

顔は見えず、障子の奥から男の声だけがきこえた。

「いいぜ」遠藤は百円札を三枚、障子の穴からさしこんだ。

「二階にあがって右から二番目の部屋だ」

男はまた返事をした。「ゲソ(下足)は盗まれるから持ってあがってください」

遠藤につれられてガストンが幅のせまい階段をのぼると、あの獣の体臭のようなにおいが廊下にも部屋の中にも充満していた。赤茶けた畳、落書をした壁、すみに重ねた蒲団、それ以外に三畳のこの牢獄のような部屋には何もなかった。蜩亭老人の寝ぐらの方がまだ雑然とはしていたが、もっと人間味があった。

「おう、クツは廊下におくんじゃない」遠藤はガストンに注意した。

「それから今夜、着ているものも頭の下にして寝るんだ。でないと……真夜中、いっさいカッパラわれるぜ、異人さん」

遠藤は壁にもたれると、かすれたせきをしながらコルトの拳銃をハンカチでぬぐいはじめた。

「寝るか」

蒲団を敷くと遠藤は上着とワイシャツをぬぎ、ズボンをとり、さきほどガストンに教えたように洋服を枕にして横になった。外見は背の高いやせた男だったが、真白なランニングシャツから見える筋肉はひどくひきしまっていた。こんな体がせきをして血を吐くとは思われない。コルトの拳銃は蒲団の真中のあたりに入れる。これは殺し屋の習慣で、睡眠中、ふいに敵におそわれた場合、即座に武器を握るにはこのかくし場所が一番よいからである。

「異人さん……寝ないのか……もう午前二時だぜ」

遠藤は蒲団にあごを埋めながらひくい声でたずねた。

「断わっとくがね、ぼくア目ざといんでね。あんたが部屋を出ていってもすぐ……わかる」

ガストンは悲しそうに微笑した。彼の肉体はまだ不安と恐怖のためにおびえていたが、心のどこかでここに残るように命ずるものがあった。

三十燭光の電気を消してガストンはそっと薄い蒲団の間にもぐりこんだ。大きな彼の足は半分以上はみ出てしまう。その上、この蒲団には汗とも脂ともつかぬ異様な臭気がしみこんでいるのだった。蒲団だけではない、天井にも壁にも同じようなにおいがこもっているのである。

目をつむってガストンはガラス窓をうつ雨の音をきいていた。どこかで高い女の笑い声がする。ひきつったような悲しい笑い声である。雨の音は豆をはじくようにはげしくなった。遠藤がまたせきこんだ。そのせきをする声もなにかあわれだった。

「ビョウキ……？」ガストンは小さな声でたずねた。

「…………」

「あなた……ビョウキ？」

「ああ……」遠藤は疲れたような声をだした。

「胸をやられてな。フランス語で肺病のことは……忘れたな。遠い昔に習ったんだから」

「チュベルキュローズ」

「そうか。チュベルキュローズか。いやな名だな……」

寝がえりをうつと彼はガストンの方に体をむけて……

「あんたは……本当にルンペンか。日本に何をしにきたんだね」

「…………」

「言いたくないのか、なら、いい。どうせ、こちらとは関係のないことだから」

「あなた仕事……」

「僕か」遠藤はしゃがれた低い声で笑った。「そうだな。金をもらって人を殺すのが商売だとでも言っておこうか……」

「ヒトゴロシ……」

ガストンのおびえた声をきくと遠藤は手でこの異人の蒲団を軽くたたいた。

「安心しろよ。おとなしくしていてくれれば、あんたは殺しゃしないよ。助けてもらいたいことがあるんでな」

「そのことナニね」

「そのこと……ある男を殺すんでね。……これア……もっとも金をもらった仕事じゃないが」

遠藤はそこまで言うと口をつぐんで、またかすれたせきをした。せきの音にまじって雨のひびきがガストンの耳にはいつまでも聞えてきた。いつまでも……いつまでも……


もとより赤ゲットのガストンが知るはずはないことだが——

この山谷は大東京のなかでも最も暗黒街と言われている場所である。あえて言うならば東京のカスバと呼んでもよい。通称ドヤと呼ばれる木賃宿がマッチ箱のように並んでいる。その数は百五十軒。

ガストンが驚いたように、これらドヤの一晩の宿泊費は最低四十円の合部屋から、最高三畳一部屋の三百円と言われている。そのほか百円旅館と称してカイコだなのように並んだ寝床を百円で貸す家もある。ゴミの部屋にはさまざまな風体と人相の男がひしめきあうように雑魚寝をしているが、三百円の部屋には家族一団で借りている場合が多い。

ここの住人はおおむねニコヨンであり、立ちんぼうであり、女のヒモであり、前科者である。

ニコヨンというのは言うまでもなく日やといの人夫。立ちんぼうとは朝がた、道に立って、その日かぎりの労働者を集めてまわるトラックに乗せられ作業に出かける連中である。

ヒモとは淫売婦に働かせて、そのアガリをかすめとる情夫のことだが、ふしぎなことに山谷のヒモは、他の地区のヒモとは性質が少しちがう。山谷のドヤ街には地方から一旗あげるべく上京して落後した家族が多い。彼等はさきほど述べた三百円の部屋を借りきって細々と暮しているのである。日に三百円の間代ならば月額九千円——それくらいならばもっと立派な部屋でも借りられそうなものだが、この連中のカセギはその日ぐらしの日給だから、九千円というまとまった金は作れぬのである。だから仕方なく日に三百円の間代を払いながら、三畳のむきだしの部屋に夫婦、子供で生きているのである。

さて山谷のヒモの中には、これら夫婦が相談ずくで妻を道に立たせ、夫がホン引（ポン引とは誤った発音である）の役目をする者が多い。女は街頭に立って客を引き、自分の部屋につれていく。その間あわれな夫と子供は外に出て、事のすむのを辛抱づよく待っているのである。

夜の八時ごろから幾十人の女がドヤとドヤの間のくらい道に立つ。売春防止法が出た今日でも、東京で女がこれほど数多く並んでいる場所は、他の地区には見られないであろう。女たちは昔はドヤ泊りの人夫相手の商売だったが、近ごろでは性欲のハケロをとめられた普通の客までがここにアリのように集るようになった。午前零時になると女の数はますますふえていく。山谷の売春婦には親分がないから、だれでも立つことができるのである。夫婦ゲンカをした女房が、腹立ちまぎれに家を出て、浅草で映画を見て金を使い果し、ここで一晩、客をとって翌日帰っていったという話もある。

警察も特に大きなコロシとか犯罪がなければ、こうした売春にも現行犯以外は目をつむっているようだ。売春だけではない。家畜小屋のようなドヤとドヤの中にはゆすり、盗みのような小さな犯罪は朝飯前という話である。

特に――

雨のふる日は山谷はこわい。雨のふる日には職にあぶれたドヤの住人たちの気がイライラしているからであろう。

遠藤とガストンとがここに泊った夜は、そうした危険な雨の夜だったのである。

（ある男を殺す……）

遠藤はこともなげにそんな恐ろしいことを口に出す。そしてその言葉はガストンの頭にこびりついて離れなかった。

目をつむって眠ろうとしたが眠りは訪れてはこなかった。屋根をたたく暗い雨の音だけが耳にきこえ——ノミであろうか、シラミだろうか、ひざを何かがはいまわって、

（夢をみている……わるい、ひどくわるい夢をみている……）

ガストンは自分が現実ではなく悪夢のなかにいるのだと思いこもうとした。まだ巴絵さんの家に泊っていて、日本の蒲団は胸に重いのさ、さっとこんな不吉な夢をみているのだ。いや、ここは蜩亭老人の狭い部屋のなかだ。ごらん、隣りに寝息をたてているのは、あの枯木のようにやせた東洋の占師で……

だが、寝息をたててるのは蜩亭老人でも隆盛でもなかった。コルトの拳銃を握りしめながら体を横たえている一人の殺し屋である。ガストンはうとうとと眠り、眠ってはうす目をあけて、そっと横をうかがった。

白い朝が山谷にもちかづいてくる——

「どこへ行くんだ」

かすかな音をたてただけなのに遠藤ははね起きて、蒲団から抜けだしたガストンに声をかけた。

「便所か……逃げるんじゃないだろうね」

「ノン、ノン、わたし……」

「逃げたってだめですよ。この宿屋は出口は一つしかないからな。ぼくア、あんたの足音をここできいているから、足音をたてて行きたまえ。出口の方向に行けばこちらにはすぐわかるんだから」

ガストンはうなずいて廊下にすべり出た。遠藤の言ったことはウソではない。二階から玄関におりる階段は一つだけである。その上、便所らしい臭気のもれる場所は廊下のつきあたり――階段とは反対側にあった。

廊下を歩きだしたとき、ガストンは目をしばたたいた。彼は大きな手で馬面をこすり、涙をふいた。

廊下の両側は紙のやぶれた障子が幾つか並んでいる。男の大きないびきが、そのやぶれ目からきこえてくる。ここにもあの動物のような臭気はいっぱいにこもっていた。その時――

だれかが小声で叫んだような気がする。

「ヘイ……ヘイ……」

ガストンは足をとめてふりかえった。うしろにはだれもいなかった。

「ヘイ……ヘイ……」

声は目の前の障子のやぶれ目からきこえるのである。

「だれ」

「シッ、あたしだよ。渋谷で会ったろ」

声にはききおぼえがあった。そう――あの小便をした女。自分におでんを恵んでくれた女の声だった。


「オウ、あなた」

「静かにするんだよ」

「あなた、ここでもションベンか」

「静かにってば……なぜ先生のとこ出たんだい。昨晩、廊下でチラッと見てさ、驚ろいたよ、お前さん」

「…………」

「一緒にいる男、知ってんのかい。星野組の遠藤と言ってさ、肺病だけに血も涙もない男なんだよ。人を殺すだけじゃない。いつかは自分もきっと、殺されちゃう男なんだ。お前さん、早く逃げなくちゃ……」

「…………」

「ズラかるんだよ、とにかく。いつまでもこんな所にウロウロしてるんじゃないよ。なんでもいいから、外に出たら大通りに出てタクシーに乗ってさ。お前さん、まだ三千両……持ってるんだろ」

女はまだガストンの懐中のことをおぼえていた。

「タクシーに乗ったらシブヤと言うんだよ。ブヤに戻れば、先生の家にすぐ戻ってさ、遠藤につかまったと相談おしな」

「はい」

ガストンがそううなずいた時だった。女はなにかの気配を感じたのか急に口をつぐんだ。

「なあ」

背後から低いかれた声がひびいた。ふりかえると白いワイシャツにズボン姿の遠藤が立っていた。

「なあ……異人さん」

「はい」

ガストンはびっくりして立ちあがった。

「どうしたね……」――遠藤は眠そうにあくびをしながら、やさしい声で、「便所に行ってたんじゃないのか」

「そう、ベンジョね」

「行ってきな。バ、オー、シオット」

障子のうしろ側で女が動く物音がした。それはおびえた人間が逃げ場所を求める音だった。

「行ってきな、よ」

仕方なくガストンは立ちあがった。便所の天井はひくく、便器はこわれて褐色によごれている。こわれた戸はきちんとしまらない。

だが、その戸をしめようとした時、ガストンは、ピシッ、ピシッというにぶい音をきいた。女の高い悲鳴がそれに続いた。あの女の部屋からだった。

「あたしは……なんにも……」

それから女の悲鳴は苦しそうなうめき声に変った。だが山谷ではこういうことは日常茶飯事なのであろう。他のどの部屋も静まりかえっている。

便所からとびだしてガストンの大きな足は二とび、三とび、先ほどの障子の前に立っていた。もう一度、ビシッ、という鋭い音がひびいた。

障子をあけたガストンの目には、ズボンのバンドを手にぶらさげた遠藤と、その前に片手で顔を覆いながら、畳にころがされた女の姿がうつった。顔をあげた女が手をはなすと、その口からあごにかけて赤い血がたらたらと流れた。

ガストンを見て遠藤は微笑を顔にうかべたが、

「便所は……すませてきたかね」と静かにたずねた。

「あなた……」ガストンは叫んだ。「その女のかた、しんせつですのに、あなた……なぜたたくことします」

「…………」

「わるい人、タイヘンわるい人」

「そうかな、悪いかな」ひくく遠藤は答えながらバンドをズボンに入れはじめた。

「わるいよ……あなた、この女の人のこと可哀そうね……」

「異人さん……おれア、したいことはやる男でしてな、他人を可哀そうとア、思わないことにしているんでね」

「なぜ」

「おれア、人間なんぞ、もう可哀そうと思わないね。いや、人間をそう考える気は捨てたから、こんな商売も始めたんだと言っておこう」

「なぜ、あなた人間のこと信じないか」

「信じないじゃない。信じなくさせられたんでね」

わな

この日は休日だった。

午前十時だというのに、例によって例のごとく隆盛はカメの子のように頭から蒲団をひっかぶったまま——

えもいわれぬ微睡のたのしさを味わっていたが、

ミシリ、

階段がかすかにきしんだだけで彼の手は電光のようにまくら元の下着をつかむのである。つかんだまま、穴ぐらのように蒲団の一角をあけて下の気配をじっとうかがっている。

「お兄さま」

ふしぎなことに階下から呼びかけた巴絵の声はやさしかった。

「ちょっと、お兄さま」

「起きてますよ、起きてるが朝のメイソウにふけっとるんでね。このしずけさをば乱されたくはない……」

「ねえ、チョットチョット、今朝の朝刊、見てごらんなさいよ」

階段をトントンのぼる音がして、新聞を手にした巴絵があの仰向けの小鼻を部屋の中に入れてきた。

「なにことか」

ちかごろは隆盛の日本語はガストンの影響をうけてふしぎな使いかたをする場合がある。

「ぼくア、今、生死の本質について思索しとるところだからね、巴絵みたいな俗人に邪魔されたくない」

蒲団のなかから彼は真綿を口にふくんだような声をだした。

「なに馬鹿いってるのよ」

「しかり。ゲーテいわく……」

「ねえ……ガストンさんらしい人間のことが朝刊に載っているのよ」

「なんだって」

一昨日の夜、渋谷でガスさんの可愛がっていたあの野良犬を見つけた隆盛は、この異人に一宿一飯の恩義を与えた占師と今後の連絡を約束してきたばかりだったから妹のさしだした朝刊をひろげて、

「どこに、どこだい」

「ここよ」

巴絵が指さしたのは三面記事の最下段だった。小さなすみに「万歳鏡」と題する昨日今日の都下の珍談を知らせる場所がある。

その段に目を走らせると、

(月曜日の夜、目黒坂で非常警戒にあたっていた目黒署の警官に男子用ふんどしを寄贈した外人があった)

書きだしの一行がすぐ日にとびこんできた。

「ねえ」巴絵は、腹ばいになって食い入るようにこの記事を読んでいる隆盛の顔を見て……

「ガストンさんじゃない……これ」

「まてよ、月曜日というと……」

「一昨日だけど」

記事にはこの外人は日本人の男二人とフォードの車に乗っていたと報じてある。

「フンドシと言えば——そう、ガスさん、いつかすし屋でおれたちに恥をかかせたな。そう考えられんこともないが……」

「ね、あの人、なにか危険な目にあったんじゃないかしら。フンドシであたしたちにそのことを知らせてるんじゃないかしら」

隆盛は蒲団からとび起きて、

「おれア、すぐ出かけるよ」

「どこに行くの」

「占師の老人のとこさ。話したろう、一昨日……巴絵もついてこいよ」

ガスさんのことになると、万事にズボラな兄がこんなに一生懸命になる。巴絵は今更のように隆盛の顔を見あげた。

渋谷にむかうバスのなかでもいつもならばキョロキョロと車内の若いお嬢さんに見とれている彼が、今日ばかりは、眉にふかいしわをよせて、神経質にひざを動かしているのである。

「お兄さま……よほどガストンさんという人間を愛してらっしゃるのね」

「うむ」隆盛は上の空でうなずいて、「君ア……どうなんだい。ガスさんのこと愛していないのかい」

「あたしが……」巴絵は肩をあげて冷笑した。「ばかにしないでよ。あんな外人、あたし、間抜けって、大きらい」

「そうかねえ、巴絵はまだ本当の男を見ぬく目がないんだなあ……」

ブゼンとして隆盛はつぶやいて、窓外のすっかり夏らしくなった街路に目をやった。

陽がカアッと渋谷の広場を白く照りつけている。デパートに買物にきた家族づれ、ハチ公の前で待ち合せている若い男女で駅のあたりは祭りのように雑踏していた。

「どこなのよ、その占師のいるとこ……」

「待てよ……書いてもらった地図を見ようや……」

兄妹は蜩亭老人が書いてくれた地図をたよりに歩きはじめた。

まだ午前の陽のさしている飲屋街では、女たちが細い路地をチビたほうきではいたり、ゴミ箱に残飯を捨てたりしている。

「先生ならあそこの二階にまだ眠ってるわよ」

女の一人がハブラシを口にくわえたまま、すぐ五、六軒さきの飲屋を指さした。

だが二人がその飲屋の前に立ちどまった時、ちょうど老人がズボンの前のボタンをはめながら近くの共同便所から戻ってきたところだった。

「おう、あんたですかい」蜩亭老人は目をしばたたきながら隆盛とその横にいる洋装の巴絵をまぶしそうにながめた。

「妹です」隆盛は巴絵を紹介して、

「実はガスさんのことで……」

「いや、そのことならな、わしもあんたに電話をしようと思うとりましたい」

昨日、蜩亭老人は知りあいの渋谷の女の一人から思いがけぬことを知らされたと言うのである。この女は浅草に近い山谷、ドヤ街の岩手屋という宿で、ガスさんが一人の男につれられて泊っているのを見つけたというのだ。

「その男が——あんた、星野組の遠藤でしてな。有名な殺し屋ですたい。偶然、むかしこのわしが教えた子供の一人だったのじゃが……女は遠藤にしたたかセッカンを受けましてな」

「殺し屋の……遠藤ですか」

隆盛は思わずつばをのみこんだ。

彼も遠藤の名はきいていた。二か月前、星野組がある実業家を脅迫して傷害をおわせた時、この男の写真が新聞や週刊誌に載っていたからである。どこか虚無的な暗い影のある顔だちで、それが隆盛の心に残っていたのである。

一時間後——

隆盛は山谷の交番の巡査につれられてこの岩手屋をたずねていた。

「うちにはいろんな客がくるさかい」

障子の奥から宿の主人が関西弁で迷惑そうに答えた。

「異人？　背の高い異人なら今朝、別の男とここを引きあげたばかりやで……行先は知らんなあ」

その言葉はウソではないようだった。隆盛は一人、山谷の狭い道に立ってあたりを見まわした。

白い陽のあたる道に黒ネコが一匹横ぎって行く。ガストンはどこにつれて行かれたのか、あたりはぶきみなほど静かだった。

隆盛が岩手屋をたずねた数時間前に——

ガストンは遠藤につれられて宿を出ていたのである。二日つづいた雨もやっとやんだが、今日も空はどんよりと曇り、地面はまだ黒くぬれていた。乳色の朝霧が、低いドヤ街の屋根を包んでいる。ほかの通りならば——

どの家もまだ寝静まり、牛乳屋の自転車だけが一日のはじまりを告げる時刻なのに、

「山谷は朝が早いな」

遠藤に教えられるまでもなく、ガストンはさきほどから目の前のふしぎな風景に少し驚いていた。自分たち二人と同じように、こんな黎明（れいめい）から、右のドヤ、左のドヤから作業服を着て首に手ぬぐいを巻いた男たちが、二人、三人どこかに向って歩いて行くのである。

「なにことしていますか、あの人たち」

「今日の仕事をもらいに行くんだ。ここから少し離れたナミダ橋という場所にな、仕事を世話する職安——つまり役所があるんでね」

からぜきをしながら遠藤は説明した。ナミダ橋というのは昔、罪人たちがそこの橋まで親兄弟につきそわれて、ここから一人で死出の道に歩いて行かねばならぬ——そんな悲しい過去をもった場所なのである。

「おれのような殺し屋も昔に生れておりゃ、さしずめこの橋で、別れを告げたろうなあ」

遠藤はニヤリと笑った。

「そのナミダ橋の朝をマトモな連中に見せてやりたいね。アリのようにこの連中が職安の前で待っている。それを客にして雨戸にニギリ飯とつけものをのせて二十円で売り歩く商人もいる。その二十円の朝飯だって食えねえ連中もいるんだ。だがみんなともかく生きてるんだな」

一軒のドヤとドヤとの間の細道に上半身、シャツ一枚の男が泥だらけになって死んだように倒れていた。

「ビョウキ?」

「病気じゃない。仕事にあぶれてね、四十円のドヤにも泊れなかったのか、ポンという薬で中毒した人間だろ」

そう言いながら遠藤は道にタンをはいた。きいろいタンのなかにはやはり赤い絹糸のような血がまじっていた。

「あなた、なぜ医者さん行かない?」

「医者か」殺し屋はくちびるを皮肉にゆがめて、「おれのことア、おれのこと。あんたのことア、あんたのこと、異人さん、あんたは自分のことを心配するんだね」

「………」

「だが、あんたもおかしな人間だな。昨日一日なぞはおれから逃げようと思えば逃げられたのに、なぜ逃げなかったんだ」

ガストンは肩をすぼめて大きな口に人のよさそうな微笑をうかべた。

「ふん……だからといっておれア、あんたを見のがしゃしないぜ。そんな甘っちょろい感傷はきらいだからな。第一、あんたを何に使うか想像がつくかね」

「…………」

「あんたの名前は何というんだい」

「ガス」

「ガスか」遠藤はだんだん冷酷な声をだしはじめた。

「なあ、ガス。実はな、おれア、ある男を消すつもりなんだが、その男というのは……」

遠藤の目に突然、憎しみの色が走った。まるでガストン自身が憎悪の対象でもあるように、彼はじっとこの外国人をにらみつけているのである。

「あんた、戦争に行ったかね」

ガストンは首をふった。

「おりゃ、行ったよ。……おれのうちじゃ……兄貴も戦争にとられてな」

遠藤は苦しそうに時々、目をつむりながら話しつづけた。小雨がまたちらつきはじめたが、遠藤はレーンコートのえりを立てようともしない。二人のそばを職を求めに出かけるニコヨンたちが次から次へと追いぬいて行ったが、連中はガストンを見ても別にふしぎそうな顔もしない。彼等はこんな外人が山谷にまぎれこんだという興味よりも、今日一日の仕事にありつけるかどうかということに気をとられているのであろう。

「おれの兄貴は……戦犯で死刑になってな」

「センパン？」

「あんたの国の言葉でなんというのかな。ゲール・クリミネル……」

「はい、はい」

うつむきながら時々、フランス語をまじえて話をつづける遠藤をガストンは横目で見ながら……

(なぜ、よその国の言葉まで勉強した男が……こんなみじめな職業に落ちたのだろう……)

理解できなかった。

「もう十二年前だが……戦争が終って……」

戦争が終って……当時、中学から霞ヶ浦の予科練生活にはいった遠藤が東京に戻った時、青山にあった彼の家は五月上旬の空襲で焼けていた。すでに両親と妹とは神宮外苑に逃げようとしてあの夜いずれも行方不明になっていたのである。死体は発見されなかった。

ただ一人の肉親といえば――南方の小さな島に学徒出陣で兵役にとられた兄だけだった。

幸い、まだ若い遠藤を引きとってくれる親類があったので、この家から遠藤は高校に通った。アルバイトをしながら大学に進もうと思った。

復員の兵隊をのせた船が中国や南の島々から日本の港にはいる。だが兄の消息はつかめない。

そのころの遠藤にとっては苦しいアルバイトも、身よりのない寂しさも、兄の戻るまでという一つにかけられていた。だが、戻る船、帰国する復員兵のなかに彼は兄の顔を見ることはできなかった……

「おれが二年後、大学にはいった時な――兄貴の行方がやっとわかったよ」

ドブの中に遠藤はまたつばをはいた。それから白いハンカチで口をゆっくりとふいた。

「戦犯でな、収容所からプリズンに送られたのさ。島の原住民を殺害したという罪でな」

「ほんと?」

「本当じゃない」

ガストンが会って以来、はじめて遠藤は女のようなうめき声をもらしながら叫んだ。

「本当じゃないぜ。おれの兄貴ア……無実だったんだ。手紙でおれに……そのことを訴えつづけていた。弟のおれだけは信じてくれ……とな」

まだ一人の学生にすぎぬ遠藤には兄を助ける方法も手段もみつからなかった。

兄は自分が無実であると遠藤に書いてきたが、その理由だけはなぜか述べていなかった。

裁判というものが正義の味方ならば、無実の人間を処刑するはずはない。まだ若かった遠藤はそう信じたかった。思いたかった。

だが――

日がたつにつれ、兄の手紙には次第に絶望の感情が行間ににじみはじめた。

「ぼくは……もうつまらぬ弁解や釈明はよそうと思う。ちかごろは聖書をさし入れてもらって……それを読んでいる。このウソと偽りにみちた世界にはもう生きたいとは思わない。だが……君だけはぼくの無罪を信じてくれ」

遠藤はすぐ返事をかいた。弟の自分にできることがあれば教えてほしいと、必死になって兄に頼んでもみた。

だがこの弟の声には南の島から答えはなかった。兄の手にこの手紙が届いたかどうかもわからなかった。八月のある暑い夜、遠藤の兄は処刑されたのである。

遺骨のかわりに弟の手に届いたのは兄の身のまわり品と、獄中愛読したという聖書だけだった。死の恐怖とたたかいながら、幾度も幾度も読んだのであろう。聖書の表紙はちぎれていた。

（兄貴は無実である。その無実の彼を殺したのはだれなのだ……）

遠藤の生活はその日からガラリと変った。彼は復員局をたずね、兄と同じ南の島から帰還した人の名を調べたのである。兄と同じ部隊にいた人を一人、一人たずねて歩いたのである。

また降りはじめた雨の中を――ガストンにではなく、まるで自分自身に言いきかせるように、しゃべり続けている遠藤の顔は、汗と雨とですっかりぬれていた。

「半年かかって、おりゃ、やっと真相を知った……。あんたの言う、本当のことをね……」

「………」

「本当に処刑されねばならない連中は、今でも生きてるんだ。この日本にらくらくと戻り、口をぬぐって生きてやがった」

「………」

「兄貴の上官だった連中よ。そいつらはすべての罪を兄貴になすりつけてな。自分の命令したことを否定してな。そのころの事情は複雑なだけにどうにでもできる状態だったんだろ」

「………」

「ところが、そいつは日本に復員してから名も変えやがった。やはり真相があばかれるのが恐しかったんだろう。おかげで……おりゃ、やつらの居所をつきとめるまで今日までかかったというわけよ」

「居所……」

「連中は三人でな、一人は東京、あとの二人はよそにいる。なあ、ガス……どこに逃げたって、もう逃がしはしないさ」

「東京よ。この東京よ。おれたちが今、歩いている東京よ。だが……もう逃がしはしない」

レーンコートの中に遠藤は手を入れて立ちどまった。彼は微笑していたが、ポケットの中のコルトを握りしめていることぐらい――ガストンにもはっきりわかった。

山谷にはドヤの住人を客にする一ぜん飯屋が点々とちらばっている。

ミソじる十円、新香五円……煙草もバラで買えるのは戦後ならいざしらず、現在では東京広しといえどもここだけであろう。

ガストンにとっては出されるものは何でもうまい。オデンであろうが、イワシであろうが、日本にきてまずいと思った食物は一つもなかった。

だから――

遠藤につれられてきたこの一ぜん飯屋でも、彼はけげんな顔をしてこちらを見ている女中や他のニコヨンの前で、馬面を動かしながらミソじるをすすり、大きな口にしなびたタクアンをポイとほうりこんでいる。

のんびりした顔をしていたが、ガストンは遠藤にあわれみの気持を少しずつもちはじめていた。この男に対する恐怖や警戒の念も幾分胸のすみずみから去っていた。

二晩、むさくるしい三畳の部屋で寝起きをともにしただけで、前世の縁というわけではないが、口ではなんともいえぬ親愛とも友情ともつかぬ親愛感を彼はあの野良犬に対したと同様に、この殺し屋にも抱きはじめたのである。

さきほど遠藤が自分の兄のことをうちあけた時の苦しげな目の光にはウソでないものがあった。

人間らしい感情があふれていた。

ガストンにはもちろん、遠藤がいかなる人間かはよくわからない。たとえば昨日の朝、渋谷の女をバンドでなぐりつけた時、彼の顔は血も涙もない冷酷な人間の表情に見えた。文字通り、無感動な気持で人を殺せる男としてうつった。

その残忍な人間が――さっき兄のことをしゃべった時、はじめて人間の悲しみを表にあらわしたのである。

あれから――

彼はだまっている。この一ぜん飯屋にきても、ハシをほんの少し動かしただけで、あとはシワクチャの煙草をかみしめながら、何かを考えている。

(遠藤さん、ダメよ、今の仕事はダメ。人を憎む仕事、恐ろしくないか)

ガストンはもっともっと、巧みな言葉をつかって、この遠藤から復讐や憎悪の気持をとり除きたかった。だが、まずい日本語では彼はなにも言えなかった。言えたところで、今の遠藤がガストンの忠告を受けいれるはずはなかった。

彼はただ遠藤のあとをついて歩くより方法はなかった。ついて歩くうちに、この男のすさんだ気持をしずめる何かの方法を見つけるより仕方がなかった。

「遠藤さん、たべないか」

「………」

「たべないこと、体にたいへん、たいへんわるいね」

だが遠藤はガストンをチラッと見ただけだった。さきほどの人間らしい悲しみをうかべた彼の表情は消えて、その代りにヘビのような殺し屋の冷酷さがその顔をひきしめていた。

警視庁の暗い廊下から外に出ると――

まぶしい光が隆盛と巴絵の顔にぶつかってきた。朝がたは雨だったが、いつの間にか空はあかるく晴れあがっていた。まだぬれた桜田門から有楽町にむかう道は今日も自動車が川のように流れていく。その自動車の流れがピタリととまると、横断歩道のサインが赤から青に変り、せわしげに人人のうずが道路を横ぎっていく。

「ガストンさんを見つけてくれるかしら、……警察の人」

額に手をあてて、初夏を思わせる陽光をさえぎりながら、巴絵はつぶやいたが、隆盛はなぜか黙っていた。

「もう大丈夫でしょうね」

「……　……」

二人はたった今、警視庁にガストンの捜索をたのみにいってきたばかりだった。

「とも角、とても見つけやすい外人なんです。――顔も体もスゴク長くてね、お相撲さんで言えば……そうだな……大内山さんを幾分、連想させますが……」

隆盛が懸命に説明すると係官たちはニヤリと笑ったが……

「それが……星野組の遠藤につれられて」とさらに事情をのべると、遠藤という名だけで係官たちの顔は急にピクリと動いた。

遠藤には現在、逮捕命令は出ていない。しかし彼が非常に危険な人物である以上、行動には監視をはらっている最中だと刑事は説明してくれた。

「この男だよ。大学を出たインテリやくざで有名でしてね」

カードが机の上に並べられた。そこには遠藤の暗い顔を正面と側面からとった写真がはりつけてあったのである。

「さっそく、手配しましょう。山谷に昨日までおったのですな」と、係官はうなずいた。

その警視庁を出て――

有楽町にむかいながら、隆盛はなぜか、頭をひねって、あることを思い出そうとしていた。

「なに考えてらっしゃるの、お兄さま」

「どこかで見た気がするんだ」

「なにを……」

「なにをじゃない、あの遠藤さ……」

遠藤の写真は一度、週刊誌で見たことがある。それは星野組がある有名な実業家を脅迫したころ、掲載されたものだった。その時は別になにも感じなかったのだが、今、警視庁で鮮明なこの男の表情を見せつけられた時、隆盛の記憶をなにか、呼びさますものがあった。

「遠藤を……お兄さまが?」

「おい、巴絵」

巴絵がびっくりするほど兄の声は大きかった。

「おどかさないでよ」

「まさか……あの男じゃ」

「あの男って……お兄さま……どうしたのよ」

「刑事さんが遠藤は大学を出たインテリやくざだと言ってたろ。その大学というのは……ひょっとすると……似てるんだ。あの男と」

「え……」

「いやね、ぼくが学生のころ、今日見た写真の遠藤によく似た男がいてね……いや、あの顔だ。たしかにあの顔だ」

巴絵は鼻をツンと上にむけて例の皮肉な笑いをほおにうかべた。

「どうした、巴絵」

「ホッホッホ、おかしいわ。よくきわものの映画なんかにあるじゃないの、犯人とそれを追う刑事とが昔の幼な友だちだなんて。……お兄さま、あんなの大好きだから……自分までそんな運命になったような気がしてるんじゃない」

「……」

妹に愚弄されて、柄になく悲壮な面もちをしていた隆盛は仕方なく視線を青黒いお堀の水に転じると、

「そうかね……」小さな声でつぶやく。

「そうよ……お兄さまって……そそっかしいんだから。……あたしとよそのお嬢さんとをまちがえたり、お母さまの代りによそのおばさまにしかられたり……朝飯まえじゃないの、そんなこと」

そう言われれば隆盛も自信がなくなってきた。

実際の話——

妹にばかにされても仕方がない。つい先だっても、酔った彼は飲み屋から自宅に電話をかけたつもりで、よその家の番号をまわしていた。受話器に出てきた未知の年配の女性を、自分の母親とまちがえて、ものの十分も帰宅の遅い弁解をクドクドとやってのけた経験がある。

翌日、この失敗が家の者に知れわたって、毎度のことながら巴絵やマーちゃんの軽蔑を大いに買ったのである。

だが、今日ばかりは妹から自信を失なわされても、心の奥で、昔たしかに遠藤を見たような記憶がしてならない。

「それじゃ、おれ……」

日比谷の交差点に来ると、隆盛は妹にうなずいた。彼はここから大手町のF銀行に戻る。巴絵は日活ビルの中で大隈青年と落ちあうことになっていた。

「じゃ……」彼女も手をかるくあげて皮肉った。「あまりロマンチックな想像にかられないでね、お兄さま」

「ロマンチックな想像とはなんだい」

「わかってるわよ……」兄の耳もとで巴絵はささやいた。

「お兄さま、ガストンさんと遠藤を御自分が追跡でもしたいなあ……と思ってるんでしょう」

「…………」

「探偵小説じゃないのよ、これは。……それにお兄さま……ガストンさんが一人の殺し屋を改心させるかもしれないなんて期待してるんじゃない……」

「…………」

妹にピシャリとやられて隆盛はくちびるを舌でなめながら、てれくさそうな表情をした。

「それよりか——ガストンさんを早く警察に見つけてもらうことね」

「じゃ、巴絵はあのガスさんをどうしろって言うんだい」

「あたしは間ヌケさんは好きじゃないの。こんなに手数のかかるお客さんはこりごりだわ……」

人波のなかを背をピンと伸ばし、ハイヒールをさっそうと動かしながら消えていく巴絵を見送りながら、隆盛はしみじみと考えた。

「あいつはなんと現実的なやつなんだ……ガスさんはおれの夢なのに、巴絵にとっては一人の間ヌケとしか、うつらないのか」


朝飯がすむと——

遠藤とガストンとは一ぜん飯屋を出た。空は相変らずどんよりと曇り、霧雨がぱらついている。

「七時半か」

遠藤は腕時計に目をおとした。

「宿屋あっち」

二日間の滞在でガストンも多少は山谷の通になっている。得意そうに自分たちの泊った岩手屋の方角に歩きだすと、

「おい、ドヤに戻るんじゃないぜ」

遠藤に鋭い声をあびせられた。時には急にガストンにやさしくしたり、時には殺し屋の冷たい表情をこの男は見せるのである。

「どこ行きますか」

返事をせずに遠藤は雨に煙る道の遠くをじっと見つめた。

一台の黒塗りの車が電車通りからこちらにむかってゆっくりと走ってきた。

見おぼえのある車である。そしてその窓から見おぼえのある先日の男が顔を出した。

「遠藤さん」

「おう……」

運転台の男はくわえていた煙草を指先で器用にはじきとばした。

煙草はぬれた道に落ちたが、紫煙をしばらくの間立ちのぼらせていた。

「ガス、乗るんだ」

「ほう……この外人の名はガスというんですかい。くさい名だね」

「うん……それよりも」

車のクッションに腰をおろした遠藤は疲れた声を出して、

「例のことは調べてくれたかい」

「心配はいりませんよ」

男は運転台から一枚の紙を出して、遠藤に手わたした。その紙にすばやく目を走らせると、遠藤はレーンコートの内側に手を入れて厚い札束をとりだした。

「ご苦労だったな」

男はだまったまま片手で札束をうけとると、左手で車を運転しながら、

「遠藤さん、やつをバラすのに夜をなぜ選ばなかったのですかい」

「殺し屋は夜、人をバラしゃしねえよ」

「なぜです」

「あかるい日の下じゃ、だれだって気をゆるめるもんだ。夜になりゃ警戒するやつも、昼なら声をかけただけで、ひょいとこちらをふりむくほど、すきがあるものさ」

「なるほど……」

「それに……」遠藤はほおにうすい笑いをうかべた。

「なあ真昼の殺人という言葉はいいやね。……いかすじゃないか」

運転台の男はもうなにも言わなかった。車は浅草から銀座の方向にむけて走り出していた。

「真昼の殺人か。ミスター・ガス。わかるかね、この意味ア……」

「まひる？」

「そう……一日の一番陽の光のまぶしい刻だよ」

「さつじん……」

「真赤な血をながすことさ」

ガストンはピクッと体をふるわせた。それから遠藤を見て首をふった。

首を懸命にふりながらガストンは遠藤の手に自分の手をおいた。

ガストンにできることはこれだけだった。遠藤の手に自分の大きな掌をしずかに載せてその馬面にすべての感情をこめて、

（ダメ、遠藤さん、ダメ……あなたの病気の辛さのこと、わたしわかります。兄さんの殺されたこと苦しいね。それわかります。しかしダメ。人間のこと憎む、恨む……それ、ゆきづまりでない

か）

まずい日本語で表現できぬものを、目とふるえるくちびるとで遠藤に語りかけようとした。

「ダメ……ダメ」

「………」

遠藤はしばらくの間そのガストンの表情をじっと見かえしていた。たしかに――この殺し屋の鋭敏な心にもガストンの言おうとするものが、ピインと伝わったにちがいなかった。

だが――

彼はふっと視線をそらした。そしてガストンの掌から自分の手をぬくと、

「ふん……センチなやつほどいやなものはねえやな……」

自分にむかって言いきかせるようにつぶやいた。

「走らせろ、車を……」

「スリップしますぜ。こんな雨のふり方が一番いけねえ」

「いいから、走らせろ車を。このガスが車から飛びおりて逃げるかもしれねえ。……やつア、今、その気なんだ」

それからガストンの方をむくと、

「おう、逃げたいだろう」

ガストンはまた首をふった。たとえ今、車がとまって、とびらが開いて、遠藤が横をむいていても彼は逃げようとは考えなかった。

「イヌさん……」

れたり、いじめられたりした悲しさを訴えようとしていた。そして——
いなかった。あわれなあの犬はいつもガストンになにかを訴えるような目をした。人々からたたか
隆盛の家を出てから自分のあとをついてきたあの野良犬ナポレオンのことをガストンは忘れては
「あなたは」ガストンは大きな口に微笑をうかべた。「ナポレオンさんに似ている」
「なんだって？……」

今、彼は遠藤のふっと窓にそらした視線や横顔になぜか同じものを感じたのである。

「遠藤さん、イヌさんのこと好きね」

「おれが……」遠藤は驚いたように、

「なぜ、そんなことをきくんだい」

「わたしイヌさんが好き。遠藤さん、子供さんは好きか」

「うるせえな……」

「好きか、きらいか……」

「うるせえ、わからないのか……」

運転台の男はうしろをふりかえると、

「遠藤さん、パアだぜ、この外人あ……」

だが遠藤はだまったまま下をうつむいていた。

「いよいよ、きましたぜ、銀座に」

雨は少しずつあがってきた。鉛色の空が白んで、目ぶたに重いほどの陽光が照りはじめた。

巴絵は兄と別れたのち——

日比谷の交差点を横ぎって日活ホテルにむかった。朝がたは霧雨だったのに、空はもうすっかり晴れあがって、まぶしい光がぬれた舗道にふりそそいでいる。

ビルの窓という窓がキラキラ光っている。入口から書類かばんをかかえた外人や日本人の男たちが、せわしげに出てくる。自動車がとまる。手をあげてだれかがそのタクシーに乗りこむ。今日も忙がしい一日がはじまろうとしていた。

日活ホテルの地下室にあるコーヒー店で巴絵は大隈青年と待ち合わせることになっていた。実は今日、巴絵と大隈青年が勤めているビュタフォコ商会の有力なバイヤーが羽田から帰国するので、このビルの地下室にお土産を選びにきたのだった。

十時という約束なのに、大隈はまだ約束のコーヒー店にあらわれていなかった。レモンスカッシュをたのむと巴絵はかるい舌うちをして、

（女性を待たせるなんて……失礼な男）

いつかの新宿事件以来、巴絵はなぜかこの大隈を軽蔑するようになっている。金切り声をあげて、ピノチオみたいな格好をして逃げて行った彼の姿は、平生が身だしなみのよい男だけに、ひどくこっけいであり、こっけい以上に醜態だった。もっともあの翌日、大隈は会社にあらわれるなり、さすがに恥じた顔をしていたが、その恥かしさをかくすためであろう、

「ぼくが逃げたのは、巴絵さん、交番に連絡するためだったんです……」

なにやらくどくど弁解していたが、巴絵は小鼻のさきに微笑をうかべて、そっぽをむいた。

（ああ、本当に頼りがいのある男性に会ってみたいわ……）

レモンスカッシュのストローに可愛いくちびるをあてて、巴絵は思わずため息をついた。考えてみれば彼女の知っている男性は、どれもこれも頼りがいのない連中ばかりだった。この大隈青年といい――それから兄の隆盛や、ガストンといい……

（当分結婚なんかするもんですか。男性がみんな、大隈さんやお兄さまみたいなら……）

その時、突然彼女の心に隆盛がちかごろ、とみにつぶやく言葉がうかんできた。

「巴絵にはまだ本当の男というものがわからんなあ……」

失礼しちゃうわ……ばかにしてるじゃないの。すべての点で間のぬけたあのガストンをひどく気に入っているのは兄の勝手だけれど……あたしがガストンを軽蔑すれば、本当の男性はわからないという。

巴絵はいつか、真白なベトナム号の中でガストンをさがし回ったあげく、うす暗い四等船室のすみっこで初めてこの男の顔を見た時のことを思いだした。あの時、

（馬……）

という言葉が口をついて出て笑いを押えるのにひどく苦労したのだった。

（男が感心する男性と、女の感心する男性とは、こうもちがうものかしら）

どう頭をひねっても巴絵にはガストンが、間のぬけた――左様――はっきり言えば「バカ」としてしか見えぬのだった。

「失敬しました、巴絵さん」

大隈青年が例の女性的な声をだしながらコーヒー店にあらわれた。今日の彼はひどく真白なハイカラーをしぶい上着から出して、これも品のよいネクタイをウィンザー公風にしめていた。さすが

にコーヒー店の若いウェイトレスたちが思わずみとれるほど、その洋服の着こなしは鮮やかだった。

「随分、お待たせしたでしょうね」大隈は指をポキポキならしながらたずねた。

「いいえ」巴絵は少し皮肉に、

「わずか十分ほどだわ」

頭を少し下げて、上向きにこちらの顔をみながら大隈は自分の無礼をわびてみせる。まるで外国の映画にでてくる青年紳士がレディを扱うように恭しい態度であるが、巴絵にはとても陶酔できなかった。かえって大隈が気どれば気どるほど、おかしさがこみあげてくるのである。

「ねえ、巴絵さん」大隈は少しくるしそうな声をだして、「巴絵さんはぼくのこと、あれ以来、誤解していらっしゃるんでしょう」

「誤解なんかしていないわよ」

巴絵は悪戯っぽい微笑を顔にうかべると、からかうように、

「誤解するほど、大隈さんのこと本気で考えたことないもの……」

相手は恨めしそうな目でその巴絵をチラッと見あげるとコーヒー茶わんのスプーンを手で弄びはじめたが、

「巴絵さんって、今まで男性について本気でお考えになったことなんかないでしょう」

「あら……どうしてかしら。あたしだって……女の子だもの。好きな男性のことなら……」

「好きな人がいるんですか」

「そりゃ……いるかもしれないわ」

大隈が辛そうな顔色をみせればみせるほど、巴絵にはふしぎな快感がわいてくる。ちょっとばか

りこの気障な華族のお孫さんをいじめてやりたい衝動にかられてくる。

「だれです。そりゃ……」かすれた声を出して大隈はゴクリとつばを飲んだ。

「まさか……例のフランス人じゃ、ないでしょうね」

「例のフランス人？」

「ええ、あのムッシュ・ガストンとかいった……」

巴絵はウェイトレスがびっくりしてふりむくほど大きな声をたてて笑った。大隈もさすがに苦笑して、

「そうだな。あんな野暮な洋服をきた、お脳の弱そうな外人に、巴絵さんが心をひかれるはずはありませんからねえ……実際、ぼくも驚きましたよ」

「……………」

「あれで本当にフランス人なんですか。知性もないし、教養もあまりあるとは思えませんね。それに最低じゃないですか……あの洋服や御面相は」

多少の嫉妬も手伝ってであろう、大隈がガストンのことを軽蔑すればするほど――

なぜだろうか巴絵は急に腹が立ってきたのである。さきほど、自分ではガストンのことをバカと思ったくせに、こんな男などからハッキリいわれると――

「失礼だわ」思わず彼女は叫んだのである。「あの人のこと、そんなにおっしゃるなんて。……あたし……あなたなんかよりガストンさんの方をずっと高くかっているわ」

そして彼女自身は自分の言葉に気づいてハッと驚いたのだった。

「ここですよ、遠藤さん」

男は車にブレーキをかけると、車のとびらをあけた。

「ここか……」

遠藤はさきほど男からうけとった紙をとりだすと、もう一度、視線を走らせる。

「待ってますぜ、あっしは……」

「うん」遠藤はうなずいて、

「ガス、車をおりな」

雨のあがった銀座の舗道はまだ人の姿はまばらだった。ガラガラと大きな音をたてて、目の前のカメラ屋がよろい戸をあげていた。隣りの喫茶店では白い服をきたボーイがせっせとウィンドーをみがいていた。

(どこへ行くんだろう) ガストンは考えた。(遠藤さん、なにをするんだろう)

すぐ近くの高架線で満員の人々をのせた国電が走っていった。電車が通りすぎても鉄をたたくような響きがきこえてくる。二十メートルほど離れた場所にまだ建設中の囲いをした大きな建物があって、音はその囲いの中からきこえるのである。

囲いの割れ目をガストンがのぞくと鉄を焼くすさまじい白炎がみえる。山谷でみかけたような、首に手ぬぐいをまいた男たちがもう作業をはじめているのである。

遠藤はふたたび紙片に目をおとして、

「おい、ガス」

あたりを少しうかがうと、囲いの小さな入口の前にガストンを押し入れた。まだ鉄棒のむきだした壁がつづいている。セメントのにおいが鼻につく。遠藤はガストンの体を押すようにして囲いと壁との間を歩きだした。

地下室におりる入口であろう、いくつも木の板をのせた階段の前までくると、

「どこ、行きますか、遠藤さん」

「いいから、だまってついてきな……声をだすんじゃないぜ」

もっともガストンが声をだしたところで――

その声は作業のやかましい音、鉄板に穴をあけるすさまじい炎の響きによってだれの耳にもとどかぬにちがいないのである。

セメントがまだ湿っているのか、水の滴が――

一滴、二滴

ガストンの首をぬらした。

電車の通りすぎる轟音もすぐまぢかである。

遠藤はだまってその音に耳をかたむけていたが、

「戻ろうぜ」

なにをするために彼はわざわざここまできたのか愚かなガストンにはさっぱりわからない。だが、とにかく、なにも起らなかったのである。

「おわりね、これで……」ホッとして彼がたずねると、遠藤は白い歯をみせて笑った。

「お人好しだな、お前は……」

「なぜ」

「おれがどうしてここにきたのか、わからないのか……」

「………」

「このやかましい音をききな。おれがピストルをうったってこれじゃだれも気がつかない。格好の殺し場だろ、なあ、……ガス」

車までもどると、運転台の男はチューインガムの粒を口に放りこみながら二人を待っていた。

「じゃ支度だ」

「OK」

後尾の覆いをあけて、男は茶色いトランクを引きずり出した。その間、車内の遠藤はレーンコートをぬぎ、上着もネクタイもとりはじめた。

男がドアの間から入れたトランクの中には、真あたらしいワイシャツや明るい空色の背広やクリーム色の靴までがきちんと入れられている。

「ガス……これもってくれ」

山谷での生活ですっかり、型のくずれた洋服やレーンコートをガストンの大きな掌の上にあずけて、遠藤はゆっくりと着がえをする。それから新式の携帯ひげそり器をあごに回転させながら、少し黒ずんだあごをそると、

「オウ……」

ガストンが感心するほど、さっそうたる青年紳士である。

「オウ、遠藤さん、ボウ・ギャルソン（美男子）ね」

「だろう。……おい、ハジキ（拳銃）だ」

ワイシャツの肩に拳銃バンドをぶらさげると、遠藤はガストンにあずけたレーンコートをうけとって、ポケットから拳銃をとりだす。

「ガスア……ここで待ってな」

そのさっそうとした姿で遠藤はもう一度、車の扉をあけると、舗道にふえはじめた人々の流れの中に消えて行った。陽がようやくまぶしく照りだした。都会の生活が呼吸をととのえ、急ピッチで活動をはじめだす午前十時である。

（遠藤さん、どこに行くのか）

黒雲のような不安がやっとガストンの胸にひろがりだした。今まで現実感をさっぱり伴わなかった殺人という事実が今、自分の目の前でひろげられようとしている。それは山谷での二日間とそして今日の朝まで、遠藤が時には冷酷だったが、ガストンにはどうしても憎めなかったからである。今まで雨のふる日にそこだけ陽のあたっている遠くの丘を見るような気持で――ガストンは遠藤がこれから行う行為を考えていたのである。

「食べないか、異人さん」

運転台の男がチューインガムの箱をガストンにさしだした。

「変な……まねはしなさんなよ」

「遠藤さん……どこ、行きましたか」

「誘いによ。呼びだしてるのよ」

「呼びだし？」

「消してしまう野郎をね……」

ガストンは窓に大きな顔を押しあてた。交差点で白い鉄帽をかぶった日本人の警官がオートバイをとめて、こちらをぼんやりながめていた。白い鉄帽は陽の光に反射してキラキラ光っていた。窓をあけて叫べば、それでよかった。だがこの時ガストンの心に、遠藤のせきこんでいるみじめな姿が通りすぎたのである。

（わたしすてると……遠藤さん……かわいそう……）

そして警官はオートバイのアクセルをふかして消えて行った。

やがて――

遠藤がまぶしそうに目ばたきをしながらもどってきた。

「どうでしたい」

「電話魔よろしく電話で声色を使ったらな、ひっかかったぜ。十一時にやつはそこの喫茶店にくる。あとは作業場につれこんで消しちゃうだけよ……」

（十時四十五分）

遠藤は車の窓にひじをついて、じっと舗道をながれる人の群をながめていた。

運転台の男は相変らず、チューインガムをかみながら、ひざの上に今朝の朝刊をひろげてなにかを熱心に読んでいる。

「ビッグ・ニュースでもあるのかい」遠藤が空ぜきをしながらたずねると、

「巨人が国鉄に二連敗ですぜ」

「いや、そうじゃない、一面だ」

「政治ですか。相変らずだろうね……おれたちの知ったことじゃない」

男は下をうつむいたまま、片手で白分の読まない新聞紙を遠藤にさしだした。その一面にざっと目を走らせた殺し屋は微笑しながら、

「ガス……あんたの国も大変じゃないか。アルジェリアはどうするんだい」

「アルジェリア……」

「そうさ、あそこじゃ白人と現地人とが憎みあって争っているというじゃないか」

憎みあって、争って——

ガストンは遠藤の顔を見つめて悲しそうにうなずいた。アルジェリアだけではない。フランスだけではない。

今日、この時刻でさえ——

地上には憎しみと争いしかないのである。一つの国は別の国を憎み、人間は他の人間を疑い——信ずるということと愛するということは、何処か遠くに消え去ってしまっている。ダレスはフルシチョフを疑い、フルシチョフはダレスを疑い、フランス人はアルジェリア人を憎み、アルジェリア人はフランス人を憎み……それだけではない。

このガストンの目の前でさえ、まぶしい銀座の舗道の光のなかでさえ、一人の男がだれかを殺そうとしている。憎悪の目を光らせながら待っている……

「それ、あなたと同じ……」

ガストンはかすかな声で言った。だが遠藤はもうこちらではなく、窓のむこうをじっとながめて

いた。

（十時五十五分）

運転台の男がラジオのスイッチを入れた。ラジオからは若い女の声がコマーシャル放送をやっていた。

「よいクギは建物をながもちさせます。クギは大和工業のクギをどうぞ……」

その甘い女の声が突然、男のアナウンサーのそれに変った。

「警視庁ではフランス人のガストン・ボナパルト氏をさがしています。ガストン氏は至急、警視庁あて御連絡ください」

男の声はそれだけでプッリと切れた。しばらくの間、車内の三人はじっと黙っていた。

「お前のことだぜ」運転台の男がひきつったように笑った。「遠藤さん、こりゃヤバイ（危い）ね」

「なあに……おれがこのガスと一緒とはだれも知らないさ」

恋人らしい若い男女が車道を横ぎろうとしてふと車の中をのぞきこんだ。

（十一時）

遠藤は窓から急に体をはなして叫んだ。

「おい、やつが来たぜ。キッチリ十一時だ……」

一瞬、この肺病の男の肉のそげたほおを、満足そうな笑いがかすめて、

「ジロジロ見んなよ」ひくい声で彼は命令した。「梅崎、ラジオはかけたままにしな」

梅崎と呼ばれた運転台の男は言われるままに、ラジオのジャズを聞きながら新聞に目をおとす姿勢をとった。遠藤も遠藤で——片ひじを車の窓についたまま、いかにも退屈そうにあくびをするまねをした。

銀座の舗道にはたえまなく人の流れが行きかよう。もとよりその群衆のどの男が遠藤のねらっている相手かは、ガストンにわかるはずはない。

けれども——

「おい、立ちどまったぜ」

遠藤の声に思わず顔を窓におしあてると、頭の半ば、はげあがった一人の日本人が、たった今、目の前のコーヒー店のとびらをおして、中に消えて行くのがチラッと目についた。

背のひくい、小肥りの男だった。頭が半ばはげあがっている。うしろから見ただけでは、その顔の特徴もわからないが、半ばはげた頭や肥った小さな体はなぜか、ガストンにさえもある不潔な印象を与えたのである。

「ガス、おりな」

「わたし……」

「おりるんだよ」

「わたし……わたし……なにしますか」

ガストンは懸命に首をふって車のとびらにしがみついた。恐怖がこの図体の大きい弱虫の胸を万力のようにしめつけたのである。

「おりるんだよ」遠藤はガストンの腰を荒々しく幾度もけりはじめた。

「おりねえのかよ」

「オウ……オウ」

とびらがガストンの重みで開いて……ころげようとするその体を遠藤がやっとつかむと、

「消されてえのか、お前も」

ほとんど泣きださんばかりに顔をしかめて、ガストンは歩道と車道との間に足をおろした。

「わたし……もう用ない。あの人、わたし、知らない」

「だから……黙ってよ、やつの前で坐ってりゃ、いいんだ。しゃべるのはおれがやる」

ピタッと遠藤は体をガストンにすりつけると、押すようにして目の前の喫茶店に歩きだした。

しかし……舗道の人々は二人を見ようともしなかった。銀座人種はガストンのような奇妙な外人にも無関心なのであろう。

喫茶店のとびらをあけると――

入口に近いアベック・シートの一つに、あの小肥りの男がまたをひろげて煙草をすっていた。そのはげ上った額に汗の粒がういていた。

「金井さんでいらっしゃいますか」遠藤は丁寧に腰をかがめると、「さきほどの文化交流会の者で」

「………」

「お電話でお話したとおりですが、白人の女性のどういう方が御希望か……責任者をお引合せするのが一番よろしかろうと思いまして……」

遠藤はガストンをふりむいて、

「こちらがその責任者のサドさんで……」

はげ上った頭に無数の汗の玉をふきだしながら――

金井と呼ばれたこの小肥りの男は淫猥な笑いをうかべると、

「ほんまかね、あんた」

「ほんまと申しますと……」

遠藤は皮肉にほおをゆがめたが、男は気がつかなかった。

「いや、どこまで、こういう話は信頼おけるかわからんやろ……第一、東京にいる白人の女で、そんな売春をやっとるグループがあるて、ほんまか……」

「それだからこそ、当方じゃ会員組織にしておりまして、このサドさんが……」

テーブルを真中にはさんで遠藤と小肥りの男とは給仕の女たちにきこえぬよう、ひそひそとささやきあっていた。一方ガストンが必死で、首をふったり、目ばたきをしながら金井に危険を告げようとしているのに、

「ふうん……」男はチラッとそのガストンの顔に視線を転じただけで、

「白人の女て、どんな種類の玉やね」

「たとえばですよ」

遠藤は水のはいったコップを掌でまわしながら、小声で話しはじめた。

東京では赤線廃止後、売春はいわゆる白線と称される秘密組織で行われているが、これとは全く関係なく、以前から、外人客と日本人の高級社員などを相手にする白人女性のクラブがある。S座

やキャバレーでおどっているストリッパーの白人女性や、香港経由で日本に巡業にきた外人のジャズシンガーなどが小遣いをかせぐために、このクラブに連絡してくるのである。

遠藤が声をひそめて話せば話すほど、はじめは半信半疑だったこの小肥りの男のみだらな顔が好奇心にかがやきはじめた。

「安全やろな。もし警察にでも発覚した時ア責任は負うてくれるやろね」汗をふきふき金井は言った。

「それはもう、このサド氏がそのすじに手をまわしていますから」

ガストンがさきほどから必死で首をふり、目ばたきをしていたのに、やっと男は気がついて、

「どうしたんやね、この外人さんは……」

「はあ、サドさんは、顔面神経痛なもんですから……ところでいかがでしょう。実は二人ほど白人の女性を待たせてあるのですが……」

「えっ、手まわしええなあ。だが今やったら何にもならんわ。取引先の客を今晩呼ぶんやからね。二次会がハネたあと連絡するさかい」

「だが、うちじゃ、それが困りますんで……白人の女性はなにしろ気ぐらいが高いもんですから。先に契約してくださらんと……」

促されて、金井は、

「そんなもんか。じゃ、ちょっと紹介してもらおか……。もっとも、おれア日本語しかできへんのやが」

ソファーから立ちあがった。

遠藤は勘定書のペーパーを素早く手にとって女給仕を呼んだ。そしてガストンの耳に、

「テ、トワ、サクレ、ガス」ひくいが鋭い声で言った。「おかしなまねしやがるな」

喫茶店の戸をあけて――

遠藤は男とガストンとの間に身を入れてあの作業場の方に歩きだした。ガストンが男と話をするのを防ぐためだった。鉄をうつ響き、鉄をやく炎のはげしい音がすぐ近くできこえてきた……

信ずることと疑うこと

「どこへ行くんだね」

さすがにけげんな顔をした金井は足をとめて遠藤にたずねた。一方、遠藤は、すました声で、

「ええ、すぐそこなんで……女が日本人じゃありませんからな、人目がうるさいんでね……おかしな所で待ってもらってます」

「さよか」

作業場のたかい音がさらに板べいの奥からきこえてくる。ガストンの大きな体をまじえた三人の背中が表通りから裏道に消えた時――

ガストンはもう少しゆっくり歩くべきだった。もう少し……もう五分……彼が遠藤と金井とをあのコーヒー店に引きとめておく才覚があったならば、巴絵と大隈の姿を店のガラス戸を通して見つけたかもしれないのである。巴絵はその時、大隈と日活ビルから尾張町にむかう舗道を歩いていた。女の子らしくときどきしゃれた店の品物をのぞきこんだり、ショーウィンドーに近づいたりして、

「いつもやかましいわ、このあたり」

彼女は裏通りの作業場からひびく金属音に気がついた。

「そうですよ。銀座はこのごろどこかで工事をやってますね。東京は汚いなあ。パリみたいにちゃんとした都市美を考えてないんだから」

大隈青年は例によって日本の悪口を得々として述べていた。

その作業場の地下室の前までくると——

遠藤はあたりを見まわした。足もとには砂利と砂とを入れた大きな箱とセメントの袋が積みかさねてある。まぶしい陽がその袋にあたっていた。

「白人の女が……こんなところで待ってんのか。おい、ほんまか」

「フフン、ほんまやで……」遠藤はわざと関西弁で答えた。

やっと金井はなにかを感じたらしく遠藤を不安そうにながめた。

「金井はん、目の前にその白人の女はおりまっさ」

「なんやと」

「おれのツラをよう見てんか」

「…………」

「思いだしませんかね……なにかを」

「…………」

「だれやらに似てませんか。だれかの顔に……その男はもう死んでしまったがね……あんたに殺された海軍中尉でな。おりゃ、その男の弟です」

突然、金井の顔に驚愕と恐怖の色がサッと走った。彼の足が二、三歩うしろに退いてセメントの袋にぶつかって転んだ。遠藤がまだ拳銃をとり出していないのに、倒れたまま右手で顔を覆うと、なにかを叫んだ。

「随分、さがさしてもらいましたせ、金井さん」

「今さら、なにをぬかしゃがる」

「おれや……ない……おれやない」

「おれやない……おれあ……ありゃ小林の責任で……」

「おれの兄貴の身になってもらおうか……」

「そりゃ、もう、ようわかっとる。遠藤君、事情を話せば……事情ぐらい……あんた」

遠藤はだまって足もとのセメント袋の上に倒れているこの小肥りの男を見おろしていた。汗の玉が金井のはげ上った頭に浮いている。

冷たい笑いが遠藤のほおにゆっくりと漂った。鉄をうつ音、鉄をやく炎の響きがまたきこえてくる。遠藤の手にはいつの間にかあのコルトの拳銃が握られていた。

コルトを遠藤が指さきで回転さすたび、陽光がキラキラと黒いつめたい銃身に光る。セメント袋にしがみついた金井は不気味な銃口を見て、

「アッ、無茶すんな」

「立ちな」遠藤はひくい声で、

「その地下室にはいってもらおうか」

湿ったセメントのにおいのする暗い穴をあごで示した。

「遠藤君、おれやないねん。おれやないねん……あんたの兄貴に罪をなすりつけたのは、あの小林少佐やで。……事情ぐらいきいてくれへんのか……」

「小林さんには、いずれ、礼をするつもりだぜ。その前に消さして頂くのは金井さん……あんただ」

「………」

「地下室におりないのか」

「いややで……許してくれえ。……いややで……許してくれえ」

「なあ……金井さん、おれの兄貴はね、この地下室よりもな、もっと冷たい、もっと暗い牢屋に放りこまれてね……」

殺し屋のかすれ声が急にとまった。せきの発作がこの肺病の男を襲ったのである。右手で拳銃をもったまま、彼は左手で口をおおった。肩がしばらくの間、小きざみにふるえていた。せきがとまると、遠藤はセメントの袋の上につばを吐いた。つばのなかには今日も……絹糸のような赤い血がひとすじまじっている。

「なあ、金井さん、兄貴は自分がやった事でもないことのためにな……」

金井は大声でなにか叫んだが、その声は作業場のすさまじい音に消されてしまった。

「おう、大声出しゃがると、この場でうちますぜ」

遠藤は足をあげて、セメント袋をつかんだ金井の手を容赦なく靴でふみつけた。五本の指の皮がやぶれて血が吹きはじめた。

「おう、ノン、ノン」

この時、はじめて、――

ガストンは声をあげた。今まで恐怖のために彼は口もきけず、ぼうぜんと二人の日本人のやりとりをながめていたのである。

「遠藤さん、ノン、ノン」

「ガス、お前も一緒にはいいんな。……もしだれか来たらな……おれとここを見物に来たようなふりをするんだぜ」

「遠藤さん」ガストンも必死で叫んだ。「イヌさん、好き」

「…………」

「遠藤さん、コドモさん、好き」

「…………」

「遠藤さん、イヌさん、好き。コドモさん、好き。わたし知ってる。わたし、遠藤さん、コドモさん好きなこと知っている」

このガストンの叫びを耳にした金井は血だらけの手を合せて、

「なあ、あんた。おれにも妻も、子供もあるのや。子供が二人もあるのや」

遠藤の手がすこしふるえた。たしかに、この殺し屋の心はガストンの叫びに動かされたにちがいなかった。

だが――

その動揺した心に反抗するように、遠藤は拳銃を握りなおすと、体を起しかけた金井の額に銃口をむけて引金を引いたのである。

国電がまぢかの高架線を通りすぎていった。作業場の物音はひときわ高く、はげしくひびいた。時は――まひるに、近かった。

セメント袋にしがみついた金井の血まみれの指が尺とり虫のように動いたが、遠藤はぼうぜんとして自分の拳銃を見つめていた。彼はまだ、前後の事情がはっきりのみこめないようだった。

二度、三度、引金をひく。

だが、愛用のコルトはむなしい音をたてるだけ。拳銃が火を吹いた時、いつもてのひらから腕を通して全身に感じるあのショックと快感のかわりに――

カチリ、むなしく、にぶく、バネがまわるだけなのだ。カチリ、弾がぬかれているのである。

(弾がない。弾がない。弾がない)

耳もとで、自分ではないだれかの嘲笑がきこえてくるようだった。

(弾がない。弾がない。弾がない)

遠藤はチラッとガストンを見た。

そのガストンは両手をその長いほおにあてて、まるで母親にしかられた子供のように、泣きべそをかきながら遠藤を見あげている。

「お前が……」

「……………」

「お前が……」怒り、憎しみに遠藤のくちびるはふるえた。「お前が弾を……ぬいたのか」

この時だった。遠藤のわずかのスキを見つけた金井はセメント袋から体を起すと、もう恥も外聞もなく、

「アッ、アッ、アッ」

全身からふりしぼるような悲鳴をあげて走りはじめた。肥ったその小さい体は意外にも弾丸よりも早かった。遠藤が手をのばす暇もなく、彼はへいにそって出口からころげるように、道に消えてしまった。

ガストンと遠藤とはしばらくの間、むかいあって、

「お前が……」

「オウ……はい」

この大男は恐怖とすまなさとをまぜあわせた、あわれな微笑をその馬面にうかべると、

「ごめえなさい。ごめえなさい」

突然、遠藤の右手がとんで、ガストンの顔といわず、胸といわず、すべてこぶしのぶつかる部分を乱打した。足は足で相手のひざをけりつづける。

「お前、おれの……」

「痛い、痛い」

「お前、おれの今日までの辛さも知らずによ……今日までの辛さをよ……」

「痛い、痛い、痛い」

なぐりながら、けりながら、遠藤の目から涙があふれた。

「今日までの辛さをよ……」

体力も尽きて、この肺病の殺し屋はへいにもたれかかると、しばらく肩ではげしくあえいでいた。

「いつ弾を……ぬいたんだ」

「………」

「返事を……しないのか」

「さっき」

「さっきたあ……いつだ」

「遠藤さん、車のなか、洋服きましたとき……」

遠藤の一撃をうけて吹きだした鼻血を手でふきながら、ガストンはベソをかきながら答えた。その上、壁にもたれて息をついていた殺し屋が体をちょっとでも動かすと、おびえたガストンはあわてて逃げ腰になるのである。

「逃げる気か、お前ア」

「ノン、ノン」

殺し屋は今はじめてのように、この奇妙な大男をながめた。野良犬よりも臆病で弱虫のくせに、少しでもやさしくすれば人なつっこい笑いをその馬面にうかべてくる。

バカかと思えばいつの間にか拳銃の弾倉をぬいている。なぐれば痛いと悲鳴をあげるほどだらしない男だったから、ちょっと気をゆるめたのが失敗だった。

「おれのレーンコート、もってた時か」

「………」

着がえをしているあいだ拳銃をしのばせたレーンコートを、この異人にあずけていたのを遠藤は思いだした。ガストンは不敵にもその間にコルトから弾をぬきとっていたのだ。このノロマな人間がいつ、そんな小器用なマネができたのであろう。

陽の光をその長い間ぬけた顔にうけながら、しきりに鼻血をぬぐっているガストンを見ていると遠藤はなぜか、気味のわるさをおぼえてきた。

「おい」

「ふあーい」

「お前……一体なんなんだ。何者なんだ」

「ふあーい、なにもの？……」

「どこから来たんだ」

「ふあーい、フランスね」

まるで綿あめをたべた時のような頼りない、あほうくさい返事しかしないのである。

「なんで……日本に来たんだ」

「ハイ、船です」

「バヶやろう、なんのために……日本に来たと聞いているんだ」

相手は困ったように笑ったが一言も返事をしなかった。

「お前まさか……芝居じゃ、ないだろうな」

そう言い終って遠藤はハッとした。ひょっとすると、この大男はバカのようなふりをしながら、実はすべてを心得ている利口な人間ではないか……そんな気が突然してきたのである。

遠藤は疑わしそうに相手の顔を見つめていた。それからもう一度、つばを吐きすてると、板べいいて来る。

「なぜ、ついて来るんだ」

「…………」

「なぜ、おれについて来るんだよ。逃げたくねえのか」

「オウ、逃げないね、遠藤さん」

ガストンは例の親愛の微笑を血のりのついたくちびるにうかべて、うなずいた。「わたしとあなたトモダチ」

「トモダチ？　冗談じゃねえよ。もうお前なぞには用はない。どこにでも消えてしまいな」

「…………」

もともと遠藤としてはこのガストンを自分の逃亡の役に立てるはずだった。日本人のなかには外人には弱い連中が多い。いつかの警官がガストンを一目見ただけで尋問を遠慮した例もある。金井もガストンがあらわれねば、あれほどこちらの話を信用しなかったろう。こんなウドの大木のような男でも、外人であるだけに存外に利用価値があるのである。

だが今となってみれば――

事情がすこし違ってきた。まさかと思うが、金井があの足で警察に訴えるかもしれない。そうなればガストンのように大きな外人をつれて歩けば、駅々にはりこんだサツの目にすぐつくに違いない。

「さあ、とっとと出て行きな」

遠藤は作業場の小さな出入口の戸をあけて、あかるく陽のあたる銀座の裏道をゆびさした。

「命があっただけでも有難いと思うんだね……本当ア、おれア、あんたも最後は殺したかもしれないぜ」

半ば脅かすつもりで殺し屋はこうつぶやいたが、これは必ずしも冗談ではなかった。もしガストンが自分を裏切るようなことをすれば、相手が野良犬のような宿なしであるだけに、消してしまえばよい――と遠藤は山谷にいる間から時々、本気で考えていたのである。

「出て行けよ、ガス」

「あなた」ガストンは悲しそうにたずねた。「どこ行きますか」

「どこ？……どこに行こうとこちらの勝手だぜ」

「どこ行くか」

「うるせえな」

「わたし、遠藤さん、一緒に行きますね」

「一緒に？……おれと……」

遠藤は驚いて顔をあげた。出て行けと言えば、今度はついてくるという。しかもこの大男はそれが当然のような表情をしているのである。

「お前……おれがどこへとぶのか知ってるのか」

「……………」

「もう一人、兄貴に罪をきせたやつを消しに、行くんだぜ。……お前おれについてきてまた邪魔しようというのか」

「遠藤さん行くですなら、わたしも一緒に行くね」

「なんのためだ」

「遠藤さんのことスキね。助けたいです」

「助ける？　おれがもう一人の男を消すのを助けようと言うのか」

「そのことでないね……」

ガストンは困ったように顔をしかめた。とても自分の気持をうまく言いあらわす日本語を見つけることができないのだ。

「遠藤さん、一人ぽっち。一人ぽっちだからトモダチ、いりますね」

突然、遠藤の目にあらあらしい憎悪の光りが走った。彼はガストンをにらみつけて、

「出て行け、野郎……おれア、お前のような男が一番、きらいなんだ。胸くそのわるいセンチなことを言いやがるな」

遠藤が拳をふりあげると、ガストンはヘッピリ腰で四、五歩、逃げた。もちろん、もともと運動神経もあまりない彼だから、一定の距離まで殺し屋から離れると——

「わたし、一緒、行くね」

ひとりごとのようにつぶやいている。

「出て行け。なぐられたいのか、お前ア」

「たたかれるキライです。イタイ」

「痛いぐらいは知ってるんなら、さっさと消えやがれ」

「わたし、一緒、行くね」

もう我慢ができなかった。遠藤はコルトを逆さに手に握ると、ゆっくりとガストンにちかよって行った。

へいにもたれたガストンの目に、恐怖の色が走って……

「オウ、ノン、ノン」

手を顔にあげて、遠藤からなぐられるのを防ごうとする。

「出て行け。この野郎」

「オウ……ノン、ノン」

「なぜ出て行かねえんだよ」

「………」

「なぜってきいているんだ」

「これ、わたしの決心」

指と指とのあいだからガストンは小さな声でつぶやいた。そして彼はまゆをしかめながら、親にしかられた子供のように、そっと遠藤を見あげた。

「なんだって……なにがお前の決心なんだ」

「あなた捨てないこと……ついて行くこと」

蚊のなくようなかぼそい声だったが、遠藤はこの片言の日本語をハッキリと聞いたのだった。

あなたを捨てないこと、ついていくこと――遠藤は怒りをおさえながら片手でコルトを握りしめた。いっさいの人間的感情や感傷におぼれることに反対しつづけたこの殺し屋にとっては、今のガ

ストンの言葉ほど、人をなめた侮辱的なものはなかった。思わず彼はガストンのえり首をつかむと、

「おい、ガスよ」

「はい」

「おれア、憎しみ以外は信じない男なんだぜ」

「それウソのこと」

「ウソのこと？……なぜウソなんだよ」遠藤が手に力を入れるとガストンは目を白黒させてもがいた。

「痛いか、ガス、苦しいか」

「イタイ、イタイ」

「苦しけりゃあ、よく聞け。おれア、お前みたいな人間が一番きらいなんだ。きらい以上に憎んでるんだ」

「イタイ、イタイ」

「善人ぶりやがってよ。善意などがまともに通る今の世の中かい。愛情とか信頼なぞはみんな便利だから使っている合言葉よ。……おれはもう、そんなものア信じない」

「イタイ、イタイ」

「一歩でもついて来やがれ。おれア、本当にお前を殺すぜ」

そう言うと遠藤はガストンから手をはなし歩きだそうとした。そしてガストンがへいに手をあてながら遠藤のあとを歩きだしたのを見ると、右手に持った拳銃の柄で、ガストンの額を力まかせになぐった。

グヮン——金属の棒を地面にたたきつけたような大きな音がした。ガストンはくるくるとコマのようにまわると、地面に大木のように倒れた。

三つ食へば葉三片や桜餅

春が終ったばかりなのに今夜はむし暑く、巴絵が銀座で求めてきた二つの風鈴が時々、かすかな音をたてては動かなくなる。

珍しく早く家に帰った隆盛は縁側にあぐらをかいて、さかんに食後の桜餅をむさぼりたべている。もっともこの桜餅も妹のお土産であって、隆盛が柄になく会社の帰りに気をきかして買ってきたものではないから……

「困るわ、お兄さま……あんこで着物をよごしては……」

とうイスの上からお説教をはじめた妹に、

「うん、スマンスマン」

「スマンじゃないわ。その着物は今日、お母さまが出したばかりじゃないの」

「なるほど、スマンスマン」

そのくせ、相変らず馬耳東風——洗いたての単衣に汚れた指をなすりつけながら隆盛は口を動かしている。

「お兄さま」

「なんだい」

「ねえ、お兄さまのお嫁さんになる方……さぞ苦労するわねえ」

「ほう……」隆盛は新聞紙で手をぬぐいながら、「そうかね」

「だって、あたしが見たって、お兄さま……まるで大きな子供と同じじゃありませんか」

「へえ……おれは君のフィアンセになる男こそ苦労すると思うがね。……君はハシのあげおろしにもガミガミ言う娘だから」

隆盛はふところから煙草の袋をとりだして目をしばたたいた。

「おい、マッチ」

「ひざの上にあるじゃありませんか。……煙草の灰は灰ざらの中に入れてね。お母さまが今朝もこぼしていたわよ。隆盛は家中、灰ざらと思っているんじゃないかって……」

すべての男性と同じように隆盛も煙草の灰についてはまことにだらしない。花びんであろうが、巴絵のクリームのびんであろうが、これことごとく、灰ざらの代用品と考えているのである。

「ねえ、お兄さま」

「うん」

「あたしだってどうしても来てくれって言う男性ぐらいあるわよ」

「ほう……そうかね……少し抜けてるんじゃないの、その人」

「会社の大隈さん……」

「なるほど……あの足の裏のような顔した人か」

「足の裏？」

隆盛は背のびをすると庭ゲタをつっかけて暗い庭におりた。夜空を仰ぐと流星が尾をひいて走った。なにか不吉なものを見たような気がして、隆盛は目をそらした。

電話がなっている。巴絵がひどく神妙な声をだしてなにか返事をしている。

「ええ、銀座で……まあ……」

受話器をおろして彼女は声をあげて兄をよんだ。

「お兄さま……ガストンさんが怪我をして、警察に保護されてるんですって。丸の内警察署から……今、知らせてきたの」

日本の警察署というものは、どうしてまあ、どれもこれも同じような建てかたをしているのだろう。この間、巴絵とたずねた警視庁もそうだったが、この丸の内警察署も――

わざわざ玄関を普通の建物の入口よりも高い場所につけて市民が通りすがりにちょっとドアを押してはいれる気安さがない。この玄関の位置と左右の石段とはどこか官僚的な感じを建物全体に与えているようである。

（玄関をもっと低くしろ、このむだな石段をとりのぞけ。そうすれば警察はもっと市民に親しみやすくなるぞ）

こんな印象が丸の内警察署に足をはこんだ隆盛の頭にすぐうかんだ。隆盛のように戦争時代に少年期を送った男には、まだまだ警察とはおそろしい場所のような気がしてならないのである。

だが中にはいると、それほど威圧的なふんいきは感ぜられなかった。受付にすわっていた若い警官も、

「ああ、あの外人なら保護室に寝とられます。そこから地下室をおりてしばらく廊下でお待ち下さい」

礼儀ただしく兄妹に左手の階段を示してくれた。

夜の地下室の狭い廊下には暗い電灯がともり、その廊下の横に取調室や刑事の事務室がならんでいる。取調室の戸があいていて、畳にあぐらをかいた二人の刑事がウドンをすすっていた。

「日垣さんですな。御苦労さんです」

肩幅のあつい、いかにも柔道できたえあげたような体格と面だましいの刑事がワイシャツの上に上着をひっかけながら事務室から現われた。

「さきほど、お電話を頂きましたので」

隆盛と巴絵とが頭をさげると、

「いや、警視庁の方から……なんと言いましたかな。……うん……ガストン・ボナパルトか、あの身元保証人は……お宅だと連絡があったんでね」

夕食をすませたあとなのであろう、つまようじを口の中でしきりに動かしながら説明した。

「怪我をしていると聞きましたが……」

「なあに……それは大したことはないね。ちょっとした打撲傷だな。それより国籍がフランス人なので、こりゃ面倒なことかと閉口しとったんだが……別に犯罪とは関係ないようなんで……」

犯罪に関係ないという言葉に隆盛も巴絵もホッとすると、

「事情はこうです」刑事は説明をした。

今日のおひるすぎ、銀座の作業場でガストンが気絶しているのを人夫たちが発見したのだそうである。額に血がながれていたので一時はちょっとした騒ぎになったが――丸の内警察で取調べた結果、作業場で転んで鉄棒で頭をうったとガストン自身が申し立てるので、保護室で治療休息させておいたというのである。

「あの外人、存外ノンキな男ですな。晩飯もパクパクたべて、さっき見に行ったら毛布をかぶって寝とりましたよ」

「はあ……なるほど」

いかにもガストンらしいと隆盛は微笑したが、

(だがなぜ作業場などに行ったんだろう。遠藤からはいつ、どうしてガスさん、逃れたんだろう)

この疑惑がふと頭をかすめた。

「じゃ、ガストンさん、遠藤とは一緒じゃなかったのかしら」

同じ疑問にとらわれたのであろう、巴絵もふしぎそうな顔つきをすると、刑事は口から吐きだしたつまようじを床に捨てて、

「ああ、遠藤のことなら心配はいりません。あの外人は今朝、遠藤と銀座で別れたそうです」

「でも、遠藤のやつ、なんのためにガスさんを連れて歩いたんでしょう」

「それがガストンの説明では、わしらにもさっぱりアイマイだが——警視庁に連絡しましたら、今のところ遠藤は手配を受けとる指名犯じゃないから、外人の方はそのまま釈放してよいと言ってきましてな」

こう断定してくれたので一応、隆盛も巴絵もホッと安心をした。

「じゃ、当人を出しますから、ついて来なさい」

刑事は上着のボタンをはめながら、暗い電気のともった廊下を歩きだした。兄妹がその大きな背中のうしろを、おそるおそる従うと、

「おい、カギくれんか」

制服姿の若い警官からカギを受けとって刑事は囲いの中に消えて行った。

「保護室って留置場のこと」

なにも知らない巴絵は少しこわそうに隆盛にたずねる。

「いや、保護室というのは酔っぱらいなんか泊めるところでね。たとえば留置場にはいる者はバンドやネクタイや腰ひもをいっさいとられるが、保護室じゃそんなことはしない」

「よく知ってるわね」

「そりゃそうですよ」

「酔っぱらって入れられたことあるんじゃない、お兄さま」

囲いのすきまからそっとのぞくと、ここは留置場の方なのであろう、オリのように並んだ房の一つ一つに草履がならべられている。草履の数から見ると、たいていの房には三、四人はいっているらしい。

びっこの女が警官に伴われて便所から戻って来た。彼女は房の中にはいるとき、こちらを見てなぞのような笑いを白い顔をうかべた。

足音が近づいてきた。

「おい、おい」と刑事が促している。「こっちだよ」

久しぶりに見るガストンだった。チンチクリンの洋服に背をかがめながらキョトキョトこちらをながめている。相変らず長い馬面だった。額に大きなバンソウコウをはりつけているが、これぐらいの傷ならば大したことはないようである。

「ガスさん」

隆盛が声をかけると、ヤッデのような掌をさしだして隆盛の手をしっかりと握りしめる。

「心配したぜ、ガスさん」

「しんぱい、ない」

「頭の傷は大丈夫なの」

「いたくない。いたいこと、消えました」

日比谷から経堂に戻るバスに乗ると、兄妹はガストンをいたわるように彼を真中にはさんで席に坐った。

窓の外を今夜もニジのようなネオンの光がながれていく。ちょうど日比谷公会堂で音楽会でも終ったのであろう、兄妹の前にはつり皮にぶらさがった高校生らしい女の子が二人、感激した面持でペチャクチャ、ピアニストの批評をしゃべりあっていた。

ガストンはてれくさいのか、ひざの上に手をおいて、かしこまっている。

隆盛も隆盛で、ガストンが経堂の家を出た夜のことをぼんやり思いだしていた。あの夜も今夜と同じように空には雲がなく、銀色の星がキラキラとまたたいている晩だった。信玄袋のようなサックをぶらさげて、こちらをふりむきふりむき夜道を消えて行ったガストンの姿がまだ隆盛の目ぶたにはっきり残っている。

なんのために彼が自分たち兄妹に別れを告げたのか、本当を言えば隆盛にも今だってよくのみこめぬのである。

ただ、あの時――

ガストンの間のぬけた顔にも、なにか懸命な決意が浮んでいた。哀しそうに、寂しそうに目をしばたたきながら、片言のまずい日本語で、

「わたし行きますね……」

そう言った時の表情には、隆盛もいささか感動せざるを得ない美しさがあった。

（あれからこの男はなにを見たのか。どんな目にあったのか）

傷はいたくないかと隆盛はもう一度きいてみる。

「そこ、鉄棒で打ったんだってね」

「ハイ」ガストンは目をそらしてうなずいた。

「なぜ作業場なんかにわざわざ出かけたんだい」

「………」今度は困ったような顔をする。

「遠藤という殺し屋と一緒だったろう、ガスさんは」

「ハイ」

「だから、ぼくたちは、そりゃ心配したんだぜ。……その遠藤から、よく逃げられたねえ……」

「ハイ」

「知ってたのかい、ガスさん。遠藤がどんな人間か……」

「イイエ、隆盛さん。遠藤さんは悪くないね」

なにかある……なにかガストンは言いたがらぬことがあると隆盛も気がついた。

バスは青山をぬけ、いつの間にか宮益坂をくだって、なつかしい渋谷にかかっていた。

「ガストンさん、渋谷だよ。おぼえているだろう」

「オウ……シブヤ」

窓にバンソウコウをはりつけた額を押しあてると、ガストンは食い入るように渋谷の灯をながめた。夜空はここもネオンの光で赤く彩られている。

「先生」大男はなつかしそうにつぶやいた。

「先生？　蜩亭さんのことかい」

「ハイ……イヌさん、先生の所か」

「イヌさん？　ああ、あの野良犬のことか」

「イヌさん、見たいです」

ガストンは哀願するような目つきで隆盛の顔をながめた。

星よ光れ

隆盛には新宿と共にネズミの穴まで知っている渋谷であるが、ガストンにとっても、ここはさまざまの思い出をのこした街だった。

だから――

バスをおりて夜の人ごみの中を歩きだしたガストンは、立ちどまり、立ちどまり、懐しそうに見おぼえのあるかなたの映画館をながめている。

「どうしたい、ガスさん」

「隆盛さん……わたし、夜なか、あそこ歩きました」

丸の内警察署を出てからてれくさそうに黙っていた彼は、やっと安心したのであろう、あの夜のことをポツリ、ポツリとしゃべりはじめた。「丘の上ホテル」から追い出されたショウベン事件や、街の女たちに助けられて暖いおでんを恵んでもらったこと、蜩亭老人の家に泊ったいきさつ、……すべて兄妹には初めて聞く話である。

「ははあ、こりゃ愉快だ」隆盛はうなずいて、「なあ巴絵、お前だってショウベンという言葉にそんな別の意味があるたあ……知らなかったろ」

こういう下品な話になると目をかがやかせる兄の癖を知っているから、巴絵はできるだけツンとしてとり合わぬようなふりをした。

「巴絵、ウンチという言葉だって最近は別の語意を持っているんだぞ」

まだ隆盛は、幸福そうな顔をしている。

「ガスさんもおぼえておいた方がいいね。日本語でウンチとはウンコのことだが、……最近の流行語でウンチとは……」

「よして、お兄さま」

「いや、いや聞きなさい。あしたに道をきけば夕べに死すとも可なりと孔子さまも言っている。巴絵には真理探究の精神がないね。ところでウンチだが、歌の下手なやつのことをオンチという……自動車の運転を志して免許試験に落第ばかりしているやつのことを運痴——ウンチと呼ぶ」

「………」

「ほら、五味康祐という有名な剣豪作家がいるだろう。あの人も運転免許の試験に失敗ばかりしているから、五味ウンチというべきだろう。ゴミとウンチ……東京都衛生局か」

ガードをぬけて蜩亭老人の店に行くわずかの間にも隆盛はまた、巴絵をひんしゅくさせるような話しかしないのである。

今夜も――

あのガードの近くに、老人のともしたろうそくの灯がまたたいている。

「ガスさん、先生を驚かしてやろうじゃないか」

隆盛の発案でガストンは兄妹から離れると電信柱のかげにかくれた。

「やあ……あんたですかい」

両手をひざの上において、ぼんやりとろうそくの灯をながめていた蜩亭老人は、うれしそうに立ちあがった。

「先生、今日は占ってもらいに来たんですよ」

「いやあ、わしの易はあまり信用ならんが、……恋愛の問題かの」

「まあ、ウセモノとも言うべきでしょうかな」隆盛はニヤニヤしながら言った。

その言葉に老人は気づいたらしく、

「ミスター・ガスが見つかりましたかい」満面に微笑をうかべた。

「わしはあの人にすまんことをした。……今日、ミスター・ガスの愛犬をば犬殺しがつかまえて行きました……」

申訳なさそうに蜩亭老人が告白した事情はこうだ。

あの夜からナポレオンは老人の陋屋に飼われることになった。昼間は暗い飲屋の路地にねそべっているから、女中たちが残飯や魚のシッポを恵んでくれる。夕やみが訪れて蜩亭老人が商売に出かける時はヒョロヒョロあとをついてくる。

「おじいさん、あんたの犬かね」時々、酔客がナポレオンに目をつけてからかうのである。「ひどくやせこけているなあ」

そんな時、老人はムッとした表情で言いかえす。

「こりゃわしの犬じゃなかとです。ある外人さんの飼犬をあずかっとるとでしてな」

「外人さんの犬……それにしちゃあ、ヒデえ犬じゃないか。ヒデえ犬だよ」

そのナポレオンが突然、犬とりたちの手につかまったのは今日の夕暮である。蜩亭老人はその時、陋屋の二階で商売用の羽織、はかまに着かえていた。破れた窓のすき間から飲屋の女中のさわぐ声がきこえた。

犬ころしといわれた男はムッとした顔でナポレオンの首にかけたなわを引張っていた。両脚をふんばりながらナポレオンは逃げようとするが、結局、同じような仲間が声をたてているオリの中に放りこまれて、

「可哀想だわ、放しておやりよ」

「人でなしよ、この人は」

と女中たちに口々に罵られても男は無言のままオリのカギをしめたのである。

蜩亭老人も声をふるわせて談判におよんだが、

「オッさん野放しは禁ぜられてるんだぜ……それに……この犬は鑑札さえねえじゃないか」

軽く一蹴されてしまったというのである。

隆盛も巴絵も、せっかく蜩亭老人を驚かそうという悪戯気もどこへやら、ションボリとその話を

きいていた。横でうなだれながら耳をかたむけているガストンの、今にも泣きだしそうな表情があまりに痛々しくて、見るに耐えなかったのである。

「ナポレオンさん、イヌさん」

ガストンは蚊のなくような声でつぶやいた。「ノポレオンさん」

「そう嘆くなよ、ガスさん、犬は三日間は東京の犬の抑留所で飼われているんだから、まだ助ける見込みはあるさ」

「それ、どこ。それ」

「なんでもM町の方だというとりましたやなあ」

蜩亭老人が言葉をさしはさむと、

「そこ、わたし今、行きます。今」

だだっ子のようにガストンは哀願するのである。

それをやっと、明日にしようとなだめたが、ガストンは文字通り、ひるまの朝顔のようにガックりとしおれてしまった。

たった一匹の犬が、このガストンにはそれほど大事だとは隆盛にも想像がつかなかったのである。

「あたしたちもついて行くわ」

巴絵までが慰めるようにガストンに約束した。

十一時ごろ、兄妹につきそわれて日垣家に戻ったガストンを、志津やマーちゃんはまるで夏休みに帰省したわが子を迎えるように歓待した。フロに入れ、軽い夜食をもう一度たべさせ――

二階には真あたらしいシーツ、柔らかな蒲団も敷いてある。そんなあたたかな寝床でねるのもガストンにとって久しぶりだ。あの夜、ここを出てからガストンは蜩亭老人の陋屋や、山谷のせまい三畳でほとんど着のみ着のままの夜をすごしたと言ってよい。

その彼が、母の志津やマーちゃんの前で無理矢理に微笑をうかべ、ナポレオンを失った悲しみをかくそうとしているのが兄妹にもよくわかる。

その夜、ガストンと枕を並べた隆盛が、真よなか、ふと目をさますと、いつ寝床をぬけだしたのであろう……当のガストンはチンチクリンの寝巻姿のまま、窓ガラスに顔をおしあてて夜空をながめていた。

「ガスさん」

「はい……」

隆盛も起きあがって煙草をくわえた。やみのなかで煙草の赤い火が明滅する。しずかだった。

隆盛にはガストンがナポレオンのことを考えているのがよくわかった。だから彼はそのことにはふれずに、

「星がきれいだなあ……ガスさん」

「はい」

「ガスさん、星を見るのが好きだね」

「はい、好き」

真っ黒な夜空に懸命にまたたいている星くずの光――隆盛は今までガストンのように心の素直な男を見たことがなかった。星がその小さな光を懸命に夜空でともすように、この男は人生を自分の

心の素直さで守ろうとしている。白く光る銀河を仰いでいるガストンの姿を見ていると、隆盛はなぜか竹取物語を思いだす。

かぐや姫は……月の世界から来たという。するとこのガストンもひょっとすると、星の世界から地上にやって来たのではないだろうか。そして彼はやがて、星の世界に戻っていくのではないだろうか。そんな気が隆盛にはふとしたのだった。

「なあ、もう寝ようよ……。ナポレオンは必ず、あす見つかるよ」

翌日――

隆盛はさすがに銀行という宮仕えがあるので、巴絵がビュタフォコ氏から二時間ほどの遅刻の許可を得た。

ガストンは昨夜よりは少し元気になった。ナポレオンをとり戻せる喜びが急に胸いっぱいに現実感としてひろがりはじめたのだろう。朝早くから馬づらをニコニコ、ほころばして――

その彼をつれて巴絵は国電に乗った。蜩亭老人の話によると、ナポレオンはM町の犬抑留所につれていかれたそうだからである。

真夏を思わせるようなひどく暑い日であった。国電の駅をおりたところには真黒なドブ川がながれて、そのドブ川をはさんで屋根のかたむいたマッチ箱のような家が重なりあっている。

交番で抑留所の場所をきくと、おまわりが手ぬぐいで頭をふきながらあらわれた。汗のたまった彼の額には帽子をかぶった跡が赤いひものように残っている。

「煙突がみえるだろう……あそこに。あの真下だ」

犬の抑留所になぜ高い煙突があるのか、ふしぎだったが、巴絵とガストンとはドブ川をわたって、教えられた方向に歩き出した。空には入道雲がわいている。この辺には町工場が多いらしい。人影のない真昼の道をアイスキャンデー売りが鈴をならしながら通っていく。

道をまがると、突然、異様な臭気が鼻についた。巴絵が思わず香水をつけたハンケチを顔にあてたほど、そのにおいは強かった。

「犬のにおいかしら……」

だが、犬というよりは、もっと化学薬品の臭気らしい。隆盛がときどき、つりに出かける時、エサのサナギを買ってくるときがあるが、そのサナギのいやなにおいによく似ている。

ちょうどこの時、二人の背後から小型のトラックが追いかけてきた。トラックがつんだ大きなオリの間から四、五頭の犬が顔をだして、悲鳴に似たなき声をたてている。

「アッ、犬さん」

ガストンは巴絵のいるのも忘れると、長い足を不器用にうごかしながら走りはじめた。トラックがあげる黄色いほこりを頭からかぶって、彼は抑留所の長いへいの向う側に消えてしまった。

生きものがそれほど好きではない巴絵にも、このガストンの必死な姿が微笑ましく、

(なにからなにまで子供みたい……あんなに犬が好きなのかしら)

抑留所のへいは思った以上に長かった。へいのむこうにさきほど見えた高い煙突がそびえていた。長いへいがやっとつきると、石門の前で診察着のような白い上っぱりを着た青年が、ガストンとなにかを言い争っていた。

「ダメ」ガストンは巴絵をみると悲しそうに目をあげて、「ナポレオンさん、キップない」

「キップ?」

「区役所の証明書ですよ」白い上っぱりを着た青年が困ったように説明した。「あなたらが飼主だという証明書がいるんです」

「なんとか、ならないでしょうか」

巴絵も、懸命に頭をさげると、

「弱ったなあ」青年はまばたきをしながら、

「鑑札番号、おぼえてますか」

「それが……」

野良犬のナポレオンに鑑札番号などあるはずがなかったのである。

ナポレオンのような野良犬に飼主の証明書はおろか、鑑札番号などあろうはずがない。

すっかり巴絵も当惑して、

「それが鑑札なんかありませんけど……ただこの外人の方が随分かわいがっていらしたものですから……」

「では手の打ちようもないです」

「それを……なんとかなりませんかしら……」

押し問答の末、夏の日の朝顔のように、すっかりションボリしているガストンに憐憫を感じたのであろう、白い上っ張りを着た青年は、

「じゃ、今度だけですよ……中にはいってください……ひょっとすると、その犬はもう処分されているかもしれませんがね……野良犬は飼犬とちがうので、その日に殺すことになってますから」

やっと許してくれた。

門をはいると、右手に小さな事務室があった。事務室の窓ごしにこの青年と同じような白い上っ張りを着た四、五人の人が、机にむかっているのが見えた。

「あっちです」

青年は先に立って中庭を通りぬけた。たった今、トラックで犬を運んできた作業員であろう、ランニングシャツ一枚になった男たちが、水飲み場にしゃがんで手足をふいていたが、巴絵とガストンが通りすぎる時、いぶかしげにこちらをながめた。

この中庭にもあのひどい臭気が風にのって漂ってくる。

「なにかしら……このにおい」

巴絵がたずねると、

「ああ、ぼくらはなれてますが……こりゃ、周りの皮工場の薬品の臭気ですよ。うちで殺した犬の皮をね……はいだり、なめしたりする工場が近所に二、三ありましてね」

手をあげてさきほど交番からも見えた高い煙突を指さした。

ワンワン、キャンキャン、キャアン……クン

悲鳴、怒号、哀願——もし犬に言葉があるならば、これらの声にはさまざまの悲しみや恨みがふくまれているであろう。

白い犬、ブチ犬、黒い犬、大きな犬、眠っている犬。

幾十頭という犬が戸をあけた途端、陽の光におどろいて騒ぎはじめた。

「どうぞ」

青年にうながされて、中にはいると、ある犬は金網にとびつき、ある犬は尾を懸命にふり——ガストンと巴絵に訴えるのである。

（私です。私です。助けて下さい）

犬は自分を愛してくれる人間を知っているのであろう。ガストンが近づくと、小屋の中の犬という犬は先をあらそい、喜びを顔中にうかべ、尾をちぎれんばかりに振って、

ワンワン、キャンキャン、キャアン

彼の動く方向に集ってくるのだった。

「よほど犬好きな人ですな」

青年も感心したように巴絵に言った。

その一匹一匹の犬に金網ごしに指を入れてガストンは、なにか慰めたり、頭をなでたりしていたが、すみまでくると、突然、足をギクリととめた。ムシロの上に二匹の犬がもう硬直した姿で転っていたからである。

その一匹がナポレオンだった。

犬小屋の板べいの割れ間から午後の陽かながれこんでくる。その白い陽の光はムシロの上に並べられた二匹の犬のちょうど頭のあたりに落ちていた。

死後、数時間たったのであろう。ナポレオンはやせた体を横にして、まるで泳いででもいるように、前脚を内側にまげて死んでいる。歯のむきだした下あごのあたりに、アワのようなよだれの跡

がついているのは、わずかではあるが苦しんだせいにちがいない。

ガストンはその場にしゃがみこんで手を顔におおったまま、じっと動かなかった。

巴絵も巴絵でその背後に立って——今更、どうすることもできず——ガストンの肩を見おろしていた。ナポレオンの灰色の毛の間に一、二匹のハエがたかっている。

「遅すぎたんですねえ」

抑留所の青年はふかいため息をついた。

「今朝にでも来てくだされば間に合ったんですけど……」

「でも……苦しんで死んでいるようじゃないわ」

こんな言葉でガストンの心を慰めることができるとは思わなかったが、巴絵はやっぱり自分のために、そうつぶやかざるを得なかった。

「そりゃ、昔とちがって今は薬を注射するんですから……」

青年は弱々しく弁解した。

「だから犬は苦しまずに……」

金あみの中のほかの犬たちも、なにかの気配を敏感に感じとったのであろう、もう先ほどのようになき声を立てずにぬれた黒い目をこちらにむけて、三人の挙動をふしぎそうにうかがっている。

ながい間、ガストンはしゃがんだ姿勢をうごかさなかった。ナポレオンの体から離れたハエが、そのガストンの大きな耳のあたりにとまったが、それを追いはらおうともしない。

「ねえ……行きましょうよ……」

やっと巴絵が肩に手をおいて促すと、彼はうなだれて立ちあがった。

午後の陽が次第に弱まり、長いへいの影が次第に退いていく時だった。抑留所の門から電車通りまでの一本道が二人にはひどく長いように思われる。さきほどのアイス・キャンデー売りの男がまたこちらをふりかえりながら通りすぎて行った。

「ガストンさん、かわりの犬、見つけてあげましょうか」

巴絵はかすかな声でたずねたが、ガストンは弱々しく首をふるだけである。

「じゃ、いつまでもクヨクヨしないのよ。ガストンさん、それより今夜はお兄さまを誘いだして、どこかでさわがない」

「巴絵さん……わたし……」ガストンは長いへいに片手をあてながら、小さな声でつぶやいた。

「今夜、東京離れます」

「東京を離れる……どこに行くの」

「北……」

くしゃくしゃと長い顔をゆがめると、今にも泣きだしそうな表情で、ガストンは答えた。目ぶたの間からこぼれおちる涙を押えるためか、彼はしきりに鼻と口とをゆがめた。

「北じゃ、わからないわ」

「遠藤さんのところ」

「遠藤って……」巴絵はガクゼンとして叫んだ。

「まさか……あの男じゃないわね」

「…………」

「ちがうわね……ガストンさん、ちがうわね」

「わたし行く」

ガストンは静かに答えた。

「今夜です」

いつの間にか、夕暮になっていた。巴絵とガストンとは四谷から市ケ谷にむかう並木道を歩いていた。

夕もやが緑色のこくなった葉かげをいっそう暗くして、かたわらの公園では子供が二人、キャッチボールをして遊んでいるだけである。

犬の抑留所を出てから突然、東京を去ると言いだしたガストンである。東京を去るのはいいが、しかし行先が遠藤のいる場所だと言う。巴絵は弟をたしなめる姉のように強く首をふった。午後から出かけねばならぬ勤め先も休んだのである。

そして三時間あまり彼女は説得を試みつづけてきた。

いつの間にか二人は市ケ谷に近い土手を歩いていた。話しているうちに国電が四谷にとまって、ここから銀座行きの地下鉄にのるつもりで下車したのだが、ガストンはまだ首をたてにふらなかったからだ。

「どうしてもいらっしゃるおつもり」

「はい、巴絵さん」

あの白い陽のさしこむ犬舎のなかで、ムシロにころがっていたナポレオンの死体を見た時——ガストンは突然、遠藤の顔を思いうかべたのだった。

犬の死と殺し屋の映像がなぜ重なったのか彼にもよくわからなかった。犬の死体と殺し屋がこれから殺そうとする男のことが結びついたのであろうか。それともナポレオンのもう動かぬうつろな目が、ガストンに、山谷のぬれた道でせきこんでいたあのあわれな青年を連想させたのだろうか。犬舎のなかの犬たちの泣き声。やがて殺されるこれらの動物と同じ運命を遠藤はたどっているのだ。いつか彼もこのナポレオンと同じように、硬直した死体を人の目にさらすのかもしれぬ。

ガストンはこうした気持を巴絵に伝えようとしたが、彼の日本語はあまりにまずかった。

「どうしても行くの」

「はい……遠藤さんわたしのトモダチ……。ナポレオンさんと同じ」

「知っているの、あの男のこと……ガストンさん」

「はい」

「知らないわよあなた、あの男にどんな目にあわされるかもしれないのよ。怖しくないの」

「こわいです」

巴絵はホトホトあきれ果ててこの大男の顔をあらためて見つめた。愚鈍——そう、ばかでなければこの三歳の幼児でもわかる論理がのみこめぬはずはない。

「お姉さん、球拾ってよ」

キャッチボールをしていた子供が遠くから声をかけた。足もとにころがってきたボールをガストンはうれしそうに放りなげる。

「子供さん、たのしいです」

「それどころじゃないわよ。それより、あなたにこわくないかって、聞いているのよ」

「こわい」蚊のなくような声でガストンは答えた。「こわい」

「こわいならなぜ行くのよ……ガストンさん」

巴絵は思わずハッキリとこの男について考えてきたことをつぶやいてしまった。「バカじゃないの……」

バカ——

忘れもしない……あのベトナム号の臭気のこもった四等船室で彼を見つけた時から、巴絵はガストンをバカではないかと思うことが多かった。

容貌といい、不器用な動作といい、チンチクリンな服装といい、それらはこれことごとく、巴絵の苦笑と憐憫とを誘うものばかりだった。

もちろん彼が、兄の隆盛の言うように、まれに見る善人であることはわかってきた。善人という言葉が大げさならば無類のお人好しでもいい。

だが善人とかお人好しとかはこの生き馬の目をぬく今の社会ではバカに通ずるものではないか。少なくとも巴絵のような若い女性には非情な、たくましい、近代的魅力に全く欠けたウドの大木にしか、うつらないのである。

さよう……ウドの大木。

ウドの大木は今、巴絵の前に立って、子供のキャッチボールをポカンとながめている。むこうの空にほんのりバラ色の夕焼雲が二つ三つ浮いて、一日の勤めを終えた人を乗せて国電が目の下をゆっくり走って行く。

(この人、なにも、わかっていないんじゃないかしら)

自分が今からノコノコとたずねる相手が、保釈こそされているが、警察でも危険人物と見なされている遠藤であることを本当に知っているのだろうか。場合によってはどんな目にまきこまれるかもしれないことを知っているのだろうか。

知っていれば、今ごろ、こんなノンビリした馬面をほころばせながら、少年の遊ぶのを見ている余裕はないはずである。

「ねえ……ガストンさんたら」

「はい」

もう一度、愚鈍な子供に言いきかせるように、巴絵は先ほどからもう何度も口に出した質問を繰りかえさねばならぬ。

「本当に、遠藤のところに行くつもり……」

「はい」

「じゃ、あなた遠藤がどこにいるか、知ってらっしゃるのね」

ガストンはうなずいた。ポケットから一枚の紙を出して、大きな指でそこに書いてある鉛筆の走り書を指さす。

山形県、山形市、小林

「あなた、これ、どこでおもらいになったの」

ガストンは困ったようにうつむいた。実は——あの自動車の中で遠藤のレーンコートの拳銃をさぐった時、この紙が一緒にはいっていたのだった。梅崎という運転台の男が山谷から銀座にむかう車の中で、殺し屋に手渡していた紙である。

「遠藤はこの山形の小林さんのとこにいるのね」

ガストンは肩をすぼめた。あの作業場での事件をどうして巴絵に説明することができるだろう……

「あたし、警察に知らせるわ」

「ノン、ノン、ダメ、ダメ」

ガストンはあわてて紙を巴絵の手からひったくった。「遠藤さん、なにも悪いことしません」

そう言われればそうである。ガストンを保護した丸の内警察署でさえ、遠藤を目下のところ犯罪者として追求することができないようだった。

「巴絵さん、ヤマガタ、行くこと、どこから汽車に乗りますか」

「上野よ」と言いかけて巴絵は驚いて叫んだ。

「冗談じゃないわ……ガストンさん。お兄さまに知らせて、あなたをどうしても説得してもらうわよ」

二三の一四七〇
ガストンを電話ボックスからチラチラ監視しながら、巴絵は大手町のF銀行本店にできるだけやさしい声で、

「こちら、貸付課におります日垣の妹でございますけど……」と言うと、交換台の女性も、

「はい……承知いたしました」

と、巴絵にまけぬほどやさしく答えてくれた。だが、しばらくしてその声は、気の毒そうに隆盛

がもう十分前に社を出たことを告げた。あわてて巴絵は経堂の家のダイヤルをまわす。もちろん、兄はまだ帰っていなかった……

「困ったわ、もう会社を出てるのよ」

ガストンは少ししおれた表情で、地面をドタ靴でけりながら、

「わたし、隆盛さんに会えないこと、辛い……」

「じゃ、今夜、家に戻ればいいじゃないの。……ね、そうしましょう」巴絵もここぞとばかり必死で説得した。「兄ともよく話して……それからゆっくり山形に行くことを考えたっていいじゃないの」

「そのことダメ」

「なぜダメなの」

「早く行くこと必要……」

一日ちがえばその間に遠藤は小林を処分しているかもしれない。愚かなガストンにもこのくらいの計算はあった。

日が暮れてきた。公園で遊んでいた子供たちも自転車にミットやグローブをくりつけて引きあげて行った。さきほどまで空にほんのりと浮んでいたバラ色の雲もすっかり青ざめてしまった。

「ともかく、どこかで御飯をたべましょうよ」

四谷の駅にむかう土手を歩きながら巴絵はもうこれ以上、なにを言ったところで、ガストンの気持を変えられぬと思った。

（なんて頑固なんだろう。勝手にするがいいわ。……もうコリゴリ）

こんな強情で、間のぬけた男にいつまでもお相手はできない……そんな気持さえ起きてくる。

（バカよ。愚鈍よ。一たす一が二であるという理屈さえわからないのかしら）

二人は四谷見附のレストランでだまって向かいあった。巴絵ももうくたびれとあきらめとで、ものも言わず、フォークを動かした。ガストンは相変らずパクリ、パクリ、河馬のように大きな口に料理を放りこんでいる。

「ねえ、ガストンさん」

「ふあーい」

口の中にいっぱいマカロニをつっこんだため、ガストンはハイの代りにふあーいと牛のような声をだした。

「前からお伺いしようと思ってたけれど……ガストンさん、いったい何のために日本にいらっしゃったの」

「ふあーい」

モグモグあごを動かしてその返事はまたもアイマイである。

「こんなことおたずねして、失礼だったかしら」

「ふあーい、しつれいない」

「じゃ、お伺いするわ。あたし、いつもそのことが、ふしぎだったのよ、ガストンさん」

ガストンは一体なんのために日本にやってきたのだろう。

これは前々から隆盛と巴絵にとっては不可解なナゾだった。

商用か。貿易か。冗談じゃない。このみすぼらしいガストンにバイヤーの才能や風貌があるとはとても思えない。

近ごろ、はやりの観光で日本を訪れたのだろうか。だが彼は日光も京都も奈良も、そして多くの外人旅行者が必ず口に出すフジヤマ、ゲイシャの類には見むきもしないのである。

日本についてルポルタージュを書こうという目的か。けれどもガストンのねむたそうな顔つきにはあの新聞記者の目にひかるスゴ味ある非情なひらめきなど、針の先ほども見あたらぬのである。

「なんのために……ガストンさん」巴絵は思いきってたずねた。

「あなた、日本にいらっしゃったの」

だが、ガストンは、

「ふあーい」

牛のように目ばたきをして口をモグモグ動かしているだけだった。そして肝心の巴絵の質問にはなぜか——一言も答えぬのである。

（かくしているんだわ……この人）さすがに巴絵は怪しい疑惑にふとかられて、（なぜ、この話題になると話を避けようとするのかしら）

そしてしばらくの間、巴絵は食事をするのをやめて相手をじっとうかがった。好奇心とも疑惑ともつかぬ気持が彼女の胸にうずきはじめた。この男は本当になに者なのだろう。デクノボウのような彼は一体、男性的感情というもの——たとえば女性にたいして心をひかれたり、情熱を持ったことなどが過去にあったのだろうか。

「ねえ、ガストンさんには恋人がいらっしゃるの」

「コエビト」

「コエビトじゃないの。コ・イ・ビ・ト。好きな女の人のこと」

「おう」ガストンは鼻をつっこんでいたサラから顔をあげると、叫んだ、「おう……それならわたしはトモエさんのこと好きです」

小狸がコツンと棒で頭をたたかれたような顔をして——巴絵は目をふせた。もちろんガストンが日本語の恋人なる意味を間違ってのみこんだのだと、すぐ気がついたが、それにしても一瞬、顔が思わず赤らんだのである。

「そうじゃ……そうじゃないのよ、ガストンさん」

「いいえ巴絵さんのこと、好きね」

「ありがと……でもガストンさんとあたしは恋人じゃないわ」

彼女は少しむきになって、「恋人じゃないのよ」

そして巴絵は自分の声が大きかったことに感づくと、ますますろうばいした。だがこの時、彼女は今まで異性という感じをほとんど持たなかったガストンが男であることにやっと気がついたのである。

当のガストンはその巴絵のろうばいを知ってか、知らずにか、ニヤニヤと笑いながらこちらを見つめている。

小鼻をツンとあげて巴絵は顔をそむけると、

（失礼しちゃうわ、こんな男とあたしとが……それにコエビトなんて……）

コエビトとはまた何という品の悪い発音であろう。肥おけのコエに、ベトベトのベトを組合せた言葉ではないか。

食事がすむとガストンは立ちあがって伝票を手にとった。

「あら、だめよ……。ここは、あたしがおごらせて頂くわ」

「いいえ、巴絵さん、わたしお金、払う」

巴絵は横浜税関の検査でガストンの懐中が非常に乏しかったことを知っていた。もちろん、夕食に誘ったのも、ガストンに払ってもらう気は初めからなかったのである。

「ガストンさんは旅行者」わざとふざけるように彼女は言った。

「お金は大事にしなくちゃ……」

「お金……わたしはいらない」

ガストンは微笑しながら静かに答えた。

「なんですって……」

「お金、わたしいらない。それに……今夜、わたし巴絵さんに」

彼は一瞬、口をつぐんだが、はっきり言った。「わたし巴絵さんにごちそうしたいです……」

ガストンがなにか言いだすと案外、頑固なことを巴絵はさきほどの押問答から知らされていた。

彼女はあきらめてレストランのとびらを押した。

すでに四谷見附には黄色い街灯がうるんでいる。向うの上智大学の窓にも青い灯がともり、まるで大きな船が浮んでいるように見える。イグナチオ教会の鐘が八時をうっている。宵やみがすっかりあたりをつつんでいた。

「さようなら」

ガストンは店を出ると足をとめて大きな掌を巴絵にさしだした。

「さようなら、巴絵さん」

「さようならって……ガストンさん、どこに行くの。まさか、あなた本気で……」

「行きます」

「ガストンさん」

「よしてよ、ガストンさん」

だが彼は悲しそうに首をふった。

周囲の人がふしぎそうに二人をふりかえりながら通りすぎて行った。だが巴絵には、もう周りの人が自分たちをどう見ようと構わなかった。われを忘れて彼女はガストンの上着を握ると、

「行かないで、ガストンさん……あなたは知らないのよ、なにも知らないのよ」

「知ってます……」相手は静かな声でつぶやいた。

「知ってますね」

「なにを知っていると言うの。あなた」

「生きることなかなかむつかしい。巴絵さん、わたし弱虫、……だから一生ケンメイやらねばならない。困りました」

あの山イモのような大きな顔に、いつも眠そうな目から一すじ……二すじ、白い大粒の涙が流れている。馬が泣くようにガストンは泣いている。

「さようなら……巴絵さん。……わたし、あなたのことほんとに好きでしたね」

くるりとうしろをふりむくとガストンは歩きはじめた。交差点の灯が青く変り、車道をわたって

行く人ごみの中に、その大きな体はまぎれこんで行った。

（巴絵……お前は男というものを知らんよ）

隆盛がいつか言った言葉が巴絵の頭にガァンとひびいた。そうだった。教会の鐘の音よりももっと強く……もっと強く……もっと強く……

上野　上野　上野
くつの音、げたの音、くつの音、げたの音。

キップを買う人、改札口に並んだ行列。拡声機から列車の出発をつげる物悲しいアナウンスの声がひびいてくる。

（二〇時二六分発高崎行普通列車は十四番線から発車いたします。……二〇時二六分発高崎行普通列車は十四番線から……）

電話ボックスの中で巴絵は必死で兄の行方をさがしていた。どこをどう、うろついているのであろう……

経堂の自宅にもまだ戻っていない。隆盛の知人や友人の家にもたずねてみたがむだだった。

「だめ……つかまらないの」

ボックスのとびらをあけて巴絵が絶望したようにつぶやくと、

「隆盛さんに会えない……辛いです」

ガストンもしょんぼりとして肩をすぼめた。

「どうしてもお発ちになるの……」

くりかえしてもむだだとは重々知りながら、巴絵はもう一度、たずねざるをえなかった。改札口のむこうに幾列にも並んだホームには、信濃や東北にむかう列車が出発を待っていた。トランクやリュックをもった沢山の人々が、待合室や柱のかげから改札口に急いで行く。

「どうしても？……ガストンさん」

ガストンは微笑しながら、巴絵をなぐさめるように彼女の肩に大きな手をおいた。彼の掌のあたたかさを巴絵はしみじみと感じながら、

「行かないで……」

「だいじょうぶ、心配のことない」

まるで他人のことのように、ガストンはニコニコ笑っているのである。

「わからなくなってきたわ……あたし」

「なに？」

「あたし」と巴絵は口惜しそうに言った。

「ガストンさんがわからなくなってきた……」

今まで苦笑と憐憫の情を誘う以外、なにものでもなかったこのガストンが巴絵には突然、ふしぎな力をもった男のようにうつってきたのである。女の自分には、押しても引いても微動だにしない一人の男性のように見えてきたのである。男というものを内心ひそかに軽蔑してきた巴絵には、これは娘になってから初めての経験だった……

「わたしバカ……弱虫」

おどけて、巴絵を笑わせようとして、ガストンは自分の頭を指さす。しかしその言葉は彼をバカ

と考えていた巴絵には痛烈な皮肉のように感ぜられた。彼女は思わず顔をあからめて……うつむいた。

列車の汽笛がかなしく響いた。

（二〇時三五分発福島、米沢、山形、秋田……奥羽線まわり青森行普通列車の改札をはじめます。御乗車の方は十二番線の改札口からおはいりくださあい……）

「これよ」巴絵は小さな声でつぶやいた。

「サヨナラ」

ガストンはふたたび大きな掌で巴絵の手を握ったが、

「サヨナラ、巴絵さん……わたし、巴絵さんはほんとにすきでした」

そして彼の大きな体は、くるりとうしろをむくと、同じ汽車に乗る人々に囲まれながら改札口に向って遠ざかっていった。

くつの音、げたの音、くつの音、げたの音。

巴絵は一瞬ぼうぜんとして、その大きな背中を見送っていた。チンチクリンの洋服、トランクを持った日本人にぶつかって、不器用なあの歩きかた。

「巴絵は男というものを知らんよ……」

不意に彼女の頭に、またしても兄の隆盛の言葉がよみがえってきた。寂しさとも悔いともつかぬものが、痛いほど胸をしめつけた。

「待って」

改札口をくぐりぬけて十二番線ホームに向かう行列のなかを、巴絵は走りだした。

「待ってよ、ガストンさん」

人々のトランクやリュックサックが彼女の体にぶつかった。それでもかまわなかった。けげんな顔をしてその客たちは彼女をふりかえった。それでもかまわなかった。

「ガストンさん」

キョトンとした目で巴絵を見おろすガストンに、

「あたし……」彼女はなにを口に出してよいのかわからなかった。

「………」

「行ってらっしゃい。……それを言うのを忘れたの。それを言いにきたの」

「アリガト……」

大きくうなずくとガストンは改札口をフラフラと通りすぎていく。

巴絵は、その改札口のそばに立ちどまってホームをながめていた。入場券を買って内側にはいることはできる。だがそうしたくなかった。列車がすべりだす。手をふる。ホーム特有のあの寂しさが今の彼女にはいやだった。ここにいて、ガストンにも知られずに、そっと列車の去るのを見送りたかった。

(バカじゃない……バカじゃない。あの人はおバカさんなのだわ)

はじめて巴絵はこの人生の中でバカとおバカさんという二つの言葉がどういうふうに違うのかわかったような気がした。素直に他人を愛し、素直にどんな人をも信じ、だまされても、裏切られてもその信頼や愛情の灯をまもり続けて行く人間は、今の世の中ではバカにみえるかもしれぬ。

だが彼はバカではない……おバカさんなのだ。人生に自分のともした小さな光を、いつまでもたやすまいとするおバカさんなのだ。巴絵ははじめてそう考えたのである。

ガストンの姿はもう見えない。十二番線ホームにとまった列車のどの窓にも暗い灯がともって、出発を知らせるホームのベルがなり、あの灯のどこに彼は坐っているのだろうか。

「お・バ・カ・さ・ん」

巴絵は両手を口にあてて、そっとつぶやいた。

「お・バ・カ・さ・ん、行ってらっしゃい」

やがてかすれたベルの音がなりやむと、汽笛の響きが遠い真暗な空でひびいた。ゆっくりと、ゆっくりと列車は動きはじめた。おバカさんをその一台に乗せて、北の国に向って……

北の国へ

北の国に向かう列車のなか。

三等車の客たちは汽車が上野をたってしばらくの間は、弁当をつついたり、大声で話しあったりしていたが――

汽車が赤羽、大宮を過ぎ小山の駅を通り過ぎるころになると、話題もつきたのであろう、そろそろ眠りだす者が一人ずつふえていった。

ガストンは遠ざかる小山の町のあかりを窓にもたれてじっとながめていた。線路にそった小さなマッチ箱のような商家に灯がともっている。その灯の下で食卓をかこんでむかいあっている家族の姿も時々、チラッと見える。

彼はあの経堂の隆盛の家を思いだした。上野をたってもう二時間になるから、巴絵もきっと帰宅したにちがいない。今ごろはあの茶の間で隆盛たちと自分のことをしゃべりあっているかもしれぬ。人間の生活……親や兄弟のある楽しさ。孤独でないことのしあわせ……ガストンはそれにくらべて自分がひとりぼっちであることに耐えていた。遠い国の日本に来て、自分は今、こうして汽車にゆられ、その汽車は夜のやみのなかを北に向って走っている。

ヤマガタ

それはどんな寂しい町であろう。見も知らぬその異郷の町にひとりぼっちで行く。そして、そこでどんな運命が自分を待っているのか、ガストンには予想もできなかった。

よごれた三等車の窓ガラスに彼の顔がうつっている。つかれて、悲しそうで、孤独な顔だった。そして汽車はもう、一面真暗なやみの中を時々、汽笛をならしながら走っていた。

時々、だれかが通路をよろめきながら便所に行く。とびらをガラガラとあけて消えて行く。その音で目をさました男が隣りの人に、

「どこだね、ここは」

そう言ってまた口をあけたまま、目をつむる。

日本の客車はイスとイスの間がせまいので足のながいガストンにはくるしかった。まむかいの席にはズボン下一枚になった中年男が時々、新聞の間からガストンをふしぎそうにうかがっていたのだが、まもなく眠りだした。隣りでは背の曲った老婆が弁当包みをひろげて、大きなおむすびを両手でもちながら、ネズミのように口を動かしている。

「あんた」その老婆はガストンに顔を向けると顔にしわとも笑いともつかぬものをうかべて、「ア

メリカ人かの」

「いいえ……」ガストンはあわてて首をふる。

「あんた、おにぎり、たべんかの」

「いいえ、わたし、おわりましたね」

「あんた、どこへ行きなさるかの」

老婆は自分はアキタに行くのだと言った。アキタには息子夫婦がいて、孫が三人いて……その婆さまにうなずきながら、ガストンは自分がなぜ、遠藤のところに戻るのだろうとあらためて考えた。巴絵の言う通り、あの男がどんなことをするかは本当にわからなかった。こうして彼を山形にさがしに行くことが、どんなに無謀で非常識なことかもガストンは知っていた。

だが——今日の午後、あの抑留所の小屋で午後の陽にさらされてムシロに横たわっていたナポレオンの変り果てた姿を見た時、ガストンはそこに死のにおいをかいだ。死のにおいはこんな小さな動物だけではなく、今の世の中では人間と人間とのあいだにも漂っているのだった。

パン、パン、パン、パン……チン
パン、パン、パン、パン……チン
行をかえるごとに巴絵の白い指さきは機関銃のような早さで動く。タイプの音はリズミカルな爽快なひびきをもっている。そして白い紙に活字をたたきこむそのひきしまった顔には、いかにも現代の娘のピチピチした美しさがあふれていた。
「ヒガキさん、これお願いします」

ビュタフォコ氏から次の書類が運ばれてくる。

「はい、承知しました」

くちびるに微笑だけはうかべるが、タイプを走る指さきはとまらない。こうして巴絵の机の上につみ重った書類は、次々とさばかれていくのである。

正確に三十分、タイプをうちつづけると、巴絵は五分間ほど体をやすめる。引出しから目薬をだして目をぬらし、それから窓のむこうをじっと見つめる。これはたえず小さな字を、はりつめた神経で追う目の疲労をなおし、若い女性にとっては美容上の大敵である近眼を防ぐためだ。その上、疲れた目で仕事をすればうっかりしてスペルを見落すかもしれない。五分間の休憩を彼女は決してむだにとっているのではなかった。

だが、今日――

指さきをもみ、窓のむこうの空をながめながら、巴絵は別のことを考えている。

もう昼ちかい。十一時半である。東京から山形までは普通列車で九時間ぐらいかかるから、ガストンは今朝、まだ暗いうちにあの北の国の都市に着いているはずである。巴絵は山形という町を一度も見たことはなかったが――

夜の明けぬ山形の駅に着いたガストンの姿が目に見えるようだった。待合室には電気がポッンともっている。朝がたの駅はひえびえとしている。待合室のベンチには土地の人らしい四、五人の男女が信玄袋やトランクをかかえて、眠そうに汽車の着くのを待っている。駅員がほうきをもって構内を掃除している。

やがて――東京を出た列車がホームにひっそりとすべりこむ。日本人の乗客のうしろからガストンが少し不安そうな表情で改札口を通りぬける。彼の大きな体や珍妙な風体は待合室の客の目をひくだろう。

駅前の広場はまだ眠っている。乳色の朝もやが漂っている。バスもまだ走っていない。どの商店も戸をとじて、青い街灯だけがポッン、ポッンと光っている。ガストンは駅の壁にもたれて朝の星を見あげている……

（おバカさん……）巴絵は昨夜、遠ざかっていく列車にむかってつぶやいた同じ言葉を今も口にくりかえした。

（あたしは今日まで男性というものをあまりばかにしていたのかしら……）

もちろん、巴絵はあのガストンに、女が恋人に対して持つような感情を感じてはいなかった。だが、ひそかに軽蔑し、なめてかかっていたあの間のぬけた男が、今の自分にはわからなくなってきたこと――これは彼女にとっては、たしかにショックだった。わからないというよりは、彼みたいな愚かな男に――

さよう

負けた……という気持を味わわせられたこと、これは現代の女性を自認していた巴絵にとってはやはりカックンだったのである。

こういう気持になると勝気とはいえ巴絵も若い娘だった。なぜか急に隆盛に会いたくなったのである。まだ恋人と称すべき青年のいない彼女にとっては今のところ、隆盛以外に男について語る相手はいなかった。

電話をかけると受話器のむこうで、案外、ハキハキした隆盛の声がきこえた。家ではのんびりとした彼も銀行では懸命に勤務しているとみえる。

「F銀行貸付課でございます……なんだ、巴絵か」

相手が妹だとわかると兄の声はガラリと変った。

「なんだい、執務中に私用電話をかけてもらっては困るね」

うしろに恐ろしい課長でもいるのであろう、隆盛らしくないキゼンとした口のききかたである。

「ごめんなさい」巴絵も柄になく素直にあやまって、「でも……今日、お兄さま、帰りがけにちょっと会って頂きたいの」

「ふうん……」

ひどくうす気味わるそうな声を出している。むりもない。巴絵が今まで会社の帰りに自分に会いたいなどと言ったことは特別の用事でもない限り、滅多にないことだった。

「だめかしら」

「そりゃ会わんこともないが……」それから兄の声は急に小さくなった。「晩飯ぐらいおごってくれるのかい。とにかく……おれは秋の風だよ」

「え？　なあに？」

「ふところ寒し……秋の風なんでね。君がおごってくれるというのなら会ってもいいがな……」

五時、仕事が終ると巴絵はタイプにカバーをかけ、洗面所で化粧をなおした。大隈青年が、廊下の外にマッチ棒のように立って、

「巴絵さん、今日、テンペストという映画にお誘いしてよいでしょうか。切符が二枚あるのですけど……」

例によって女のような声を出してきたが、

「また今度ね、今日はデイトなの」

かるく受けながして、隆盛と約束した有楽町の喫茶店にとんで行った。珍しく先に来た隆盛は煙草をふかしながら、壁ぎわにおいた熱帯魚の水槽をながめている。

「なんだい、用事って」

「それがねえ……」

「ガスさんのことだろう」

隆盛は妹の顔を見て、微笑しながらうなずいた。

「どうしておわかりになったの」

「だって、おれも今日、会社で一日中、あの男のことを考えていたからさ」

「今ごろ、山形でなにをしているのかしら」

「おれはね、巴絵」突然、隆盛は煙草を灰ザラに強くもみ消すと言った。「社から一週間ほど休暇をもらおうと思うんだ……去年は一度も有給休暇をとらなかったからね……そして山形に行こうかと考えたんだ」

「………」

「ガストンを見捨てるってことは、なんだか自分の心にある一番よいものを見捨てることになる……そう思ったんでね」

それからてれくさそうに頭の毛をボリボリかきながら、「おれは山形へ行くよ」

「あたしも、ついて行っていいかしら……」

巴絵はスプーンをコーヒー茶わんに入れると、目をつむった。

「君が……君までわざわざ行く必要はないだろう」

隆盛は悪戯っぽい目をして、

「だって、君あ、ガスさんのような男にはこれ以上、迷惑をかけられたくないって……いつもこぼしていたじゃないか」

「じゃ……お兄さまはなぜ山形にいらっしゃるの」

「おれにはおれのガストン観がある。君は彼をばかにしていた。でも、おりゃ、ちがうからね」

いつもとちがって隆盛はシンラツに巴絵の急所をついてきた。さすがに彼女はかえす言葉もな……恨めしそうに兄の顔を見あげる。いささか口惜しいけれど仕方がなかった。

「あたしだって……必ずしもガストンさんのこと軽蔑していたのじゃあないのよ。彼がお人好しすぎるぐらい善人であることは見ぬいていたわ……でもあの人にはやっぱりミリキがないわ」

「ミリキか……」

「だってそうじゃないの。男らしい強い所が欠けてたわ」

やっと巴絵は兄に逆襲する言葉をさがしあてたようである。

「あの顔、あの服装……そんなことはなんでもないけれど、弱虫よ。臆病だわ。女のようにメソメソしたところもあるじゃないの……あたしたち女の子には、あまり魅力ある男性とは言えないと思うわ」

「なるほど……そうか、いや、そうだろう」

隆盛は二本目の煙草に火をつけてうなずいた。

「どう、お兄さま」巴絵は少し勝ちほこって、「あたしが少しぐらい誤解したって、あたりまえじゃないの」

「だがねえ、巴絵、人間はみんなが、美しくて強い存在だとは限らないよ。生れつき臆病な人もいる。弱い性格の者もいる。メソメソした心の持主もいる……けれどもね、そんな弱い、臆病な男が自分の弱さを背負いながら、一生懸命美しく生きようとするのは立派だよ」

「…………」

「おれがガスさんが好きなのはね……彼が意志のつよい、頭のいい男だからじゃないんだよ。弱虫で臆病のくせに……彼は彼なりに頑張ろうとしているからさ。おれには立派な聖人や英雄よりも……はるかにガスさんに親近感を持つね」

それから二人はしばらくの間、だまっていた。

巴絵は今まで隆盛がこんなにむきになって話すのを聞いたことがなかった。てれくさがりやの兄は、なにか真面目な話題になると、すぐチャかしたり、冗談を言ったりする。その彼が今日は懸命にガストンを擁護するのである。

「でもねえ、一体あの人、日本になんのために来たのかしら」

巴絵は四谷のレストランでガストンにたずねた疑問をもう一度、兄にくりかえした。

「うん、それがおれにもさっぱり、わからんのだがねえ……ふしぎなナゾのような人間でもあるね、あのガスさんは……」

空が真青に晴れあがった日だった。

上野を午前九時に離れた青葉号は小山、宇都宮をすぎ、那須火山帯を遠く左にのぞみながら走っていた。

「よく、たべるわね」

週刊誌から顔をあげて巴絵はいまさらながらあきれたように兄の顔を見る。

「うん」

隆盛は口を動かしながら、窓に顔をむける。彼も巴絵もまだ東北地方に足をいれたことはない。日本の端といえば兄妹の祖父母が住んでいた鹿児島には、子供のころ一、二度、行ったことがあったが、北の国に旅をするのは生れてはじめてだった。

青空に羊の毛のような巻雲が一つ、二つ光って……さわやかな風がみどり色の丘陵や林間をながれて行く。ひるがえった木々の葉が銀色にかがやいて遠く那須の山々がキラキラと光りながらひろがっていた。

「巴絵、ここから東北だよ」隆盛はうっとりしたように言った。

「ここから北の国にはいるんだな」

「アイスクリームのしずくをズボンに落さないで」

「久しぶりに東京を離れるとすがすがしいぜ。……東京はどうも人間の心が小さく、君みたいに怒りっぽくて、おれには向かんよ……」

「それ以上、たべると本当にお腹をこわすわよ」

隆盛は汽車の窓に顔を押しあてた。冷たいしぶきをあげながら川がながれている。橋の上を自転車に乗った村の少女が走って行く。

（ガスさんもこの道を通ったんだな……この風景を見ただろうか）

隆盛はふとそんなことを考える。だがガストンの汽車は夜行だったはずである。彼がここを通りすぎた時は、外は真暗な闇だったにちがいない。そして汽車のなかの人々はみんな寝しずまっていたにちがいない。

隆盛は、そんな夜汽車のなかでひとり目もつぶらず、あの大きなひざを不器用にそろえて、ジッとすわっていたガストンの顔を心に思いうかべた。

ガストンはなにを見つめていたのだろう。いつかの夜、二人で見あげたように、真暗な空に光る星をながめていたのだろうか。風が吹いて、星の光はともすれば消えようとする。だが星はその光を一晩中まもりつづけるのだ。

福島から汽車は次第に傾斜のはげしい山のなかにはいりだした。松や杉の茂った山と山とが両側から迫り、一つのトンネルをすぎると、すぐ別のトンネルが迫ってくる。有名な板谷峠にさしかかったのである。

「冬になれば……雪がふかいだろうなあ」

雪がふった時、ガスさんともう一度、ここに来てみたいような気もする。

ふしぎなことにこの板谷峠のあたりから急に客車のなかで、東北弁を使う人が多くなったようだった。

福島をすぎると、空が少し曇ってきた。いたるところに果樹園が見えはじめる。山の斜面には幾段も幾段も人の高さほどのサクがならび、そこにはブドウの葉が茂っていた。秋になればこのブドウの粒が夕日にひかるのだろう。

ブドウだけではなかった。雑木林のなかには白い花をいっぱい咲かせているクリの木が目につく。まだ紙をかぶせたリンゴやモモの木もある。それから真赤なサクランボを枝もたわわにつけている木が少しずつ多くなりだした。

隣りの席でこんな会話が聞こえてくる。

「あのナレ、ここのめんこいサクランボはナポレオンというてな……」

巴絵と隆盛とは思わず聞き耳をたてた。えりにえらんでガストンと自分たち兄妹が生れてはじめて訪れるこの国にもナポレオンと呼ぶものがあるとは——偶然とはいえ感動的だった。

銀色の葉を微風にひるがえした桜の木には幾むれも幾むれもルビーのような房がぶらさがっている。まだブロンドのつやつやとした果実もある。どうしてこのサクランボをナポレオンと呼ぶのかは知らぬ。おそらく、果実の中でも皇帝だと言うつもりなのだろう。けれども隆盛も巴絵も今をさかりのこの果実を窓からながめながら——別のことを考えていたのである。

四時——

七時間の旅ののち、汽車はやっと山形の町にはいった。

上野を出る時は快晴だった空が曇って、汽車の中ではそれほど感じなかったが、プラットホームにおりると、ひどくむし暑かった。

駅前の広場に立つと、夕立でも降るのだろうか、遠くの雲が一はけ、ねずみ色をおび、そのねずみ色の暗雲が次第にこちらに近づいてくる。

「どこに泊るの」スーツ・ケースをブラブラさせながら巴絵は雨を気にした。

「それが……ここには有名な名前の宿屋があるそうでね」隆盛は売店でたった今、買い求めた地図をひろげて、「荒木又右衛門……荒木又右衛門か」

「なあに……その豪傑さん」

「旅館の名だ。地図には書いてない。あまり有名じゃないのかな」

けれども広場に集っているタクシーにその旅館の名を言うと、

「そりゃ、ここをまっすぐ行ってなす、ドンと七日町まで突きあたってナレ」運転手は帽子のひさしを上にあげてニヤッと笑った。

「七日町のかどをむずってけらっしぇ」

車に乗ると運転手は急に東京弁で得意そうに話しかけてきた。

「お客さん、東京の方だろう。ぼくも東京でしたがね、今のぼくの山形弁、わかったですか」

「………」

「ここに来たころは、ぼくも困りましたがね。五年後の今はこの通りラクラク話せますぜ」

雨が降りだした。戦争で焼けなかったこの城下町には大きなクスの木や古い石垣のあとがみえる。その石垣やトタン屋根の家々を雨がぬらしはじめた。

「荒木又右衛門」という奇妙な名をつけた宿屋は山形の繁華街七日町の近くにある。

「そりゃもう、山形じゃ一流の宿屋ですぜ、お客さん」

車のなかで運転手はさかんに提灯をもったが、
なるほど——案内されて見ると立派な旅館である。隆盛と巴絵とがあてがわれた二階の部屋からは、泉水、木石のみごとな庭が見おろせた。客はほとんどいないらしい。年をとった女中につれられてながい廊下を曲ったり折れたりしたが、趣味よい調度をそなえたどの部屋もガランとあいていた。

「長旅でこわうございましたでしょ。ちゅうこうで東京からおいででしたか」

隆盛の洋服をたたみながらその年をとった女中はたずねた。

ちゅうこうは急行のことだとすぐわかったが、もう一つの言葉がよくのみこめぬ。

「こわい?」……キョトンとして隆盛は、「電気機関車だからこわいことはなかったですが……」

「まあ、お面白い人だなっス」

女中は口に手をあてて笑うと、この地方てわ疲れたということを「こわい」と言うのだと教えてくれた。もっともこの女中は庄内の人で、山形では少しずつ発音もちがうのだそうである。

「巴絵、おフロにはいって来いよ。ぼくはこの人から少し山形弁を習いたいから……」

廊下のとうイスからひざをのりだして、隆盛は夢中だった。

「こりゃ、ぼくの妹だよ」

「めんこいお方ですなっス」

巴絵は微笑して浴室に行った。すき透った湯に白い体を入れ、すんなりとした足を思いきりのばした。雨が浴室の窓をたたいている。

「そうか。煙草のピースのことをペーシ、バスのことをバシ、ジドウシャのことはズドウシャ、今日のことはチョウ、シンブンのことはスンブンか」

隆盛は二階で女中を相手に言葉の研究である。

(すると、ウンコのことはエンコ、シッコのことはスッコというわけだな)……彼はすぐ心のなかでまた品のよくないことを考える。

だが女中が去ったあと……

隆盛も巴絵と同じように雨の音に耳をかたむけた。

雨は宿の庭に小やみなく降っていた。泉水の水面にコイが時々浮び上ってはまた消えて行く。樹木で隠した塀のむこうは、にぎやかな通りであろう、かすかな自動車の音、人々の足音がきこえてくる。

（山形か……東北か）

ページに火をつけて隆盛は自分がこの町に来たことを今更にふしぎに思った。

（ガスさんは今、この町のどこにいるのだろう）

そう……ガストンも今、このしずかな雨のふりそそぐ山形の町の……どこかにいるのである。おそらく彼のことだから……

野良犬のように雨にぬれて、一人ぽっちで……

霧のような雨が山形の町を静かにぬらしている。山と山とでかこまれたこのふるい城下町は戦災の打撃をうけなかったため、今なお、こけむした石がきのあとや、昔の武家屋敷をしのばせる家々が並んでいる。

裏通りに少しでもはいると、あたりはひっそりと静まりかえり、どこかの家からラジオの歌謡曲がきこえるだけだ。

かわらをふいた家は少ない。黒いトタン屋根や、むかしながらに小石をおいた民家である。それはやはりこの東北の暗さ、貧しさを物語っているようである。だがそんな小さな家にも、東京とちがって、庭をもち、庭には雨にぬれた青葉がひかっていた。そして名はなんというのであろう、うす桃色の大きな花が山形の民家のかき根に咲いている。

雨にぬれてガストンは——

片手で額におちるしずくをぬぐい、片手でパンをかじりながら、トボトボこの裏道から表通りに姿をあらわした。たちどまって、あたりを見まわし、旅館と書いてある家をさがす。

「ゴメーンください」

女中が走りでてくると、彼は小さな声でたずねる。

「遠藤さん、いますでしょうか」

女中はおびえた目で、野良犬のようにぬれたこの外人を見つめる。

「遠藤さん?」

彼女は帳場の番頭に、

「あのナレ、番頭さんョ。遠藤ちゅうお客さん、泊っとる?」

筆を耳にはさんだ番頭もけげんそうにガストンをうかがいながら、

「遠藤……おらんぜ」

ガストンが足をひきずりながら外に出ると、顔を見あわせた二人は、

「ありゃ、外人のほいど(乞食)みたいじゃないか」

ガストンはふたたび雨にぬれて次の旅館をさがし歩く。そして今と同じように断わられる。

昨日からもう幾つ、こうして宿屋から宿屋へ、遠藤をたずねて歩きまわったことだろう。だが、どの宿屋でも女中や番頭はガストンの顔をおびえたようにながめ、首をふるのだった。

ガストンはあの男がこうした旅先きの宿帳に、偽名を使うであろうなどと夢にも想像していなかった。だから愚かにも彼は一軒一軒、玄関にたって遠藤の名をきくのである。

雨は服地を通して肌にまでしみこんでくる。さすがの彼も疲労とひもじさとで時々、道にたちどまる。実際、彼は昨日から食事らしい食事をしていなかったのだった。パン屋で買ったパンを今朝から水と一緒に口に入れただけである。

すでに夕暮、彼は七日町の大通りをゆっくりとわたると、隆盛や巴絵がたった今、ついたばかりの「荒木又右衛門」の前にたった。

隆盛はその時、二階のトウイスにもたれて、雨のふるのを見ていた。巴絵は若ジカのように白い足をのばして湯に体をしずめていた。

この宿でも首をふられ、兄妹が泊っていることも知らず、ガストンはまたつかれた足をひきずって消えて行った。

「小林？　小林ちゅう名は山形だけで何十人おるか、わからんもんな」

年をとった警官は閉口したようにガストンを見あげた。

「まあ、立っとらんと、そこへ腰かけらっしぇ」

ズブぬれのガストンをあわれに思ったのであろう、人の好さそうなお巡りは欠けた茶わんにぬるい茶をそそぐと引出しをあけた。

「外人さん、たべなさるか」

引出しからアルミの弁当箱をだすと、彼は中にはいっていたツケモノをとりだして、ガストンにすすめた。彼自身も手のひらにそのツケモノをのせると、それをほおばって、

「ほしてよ。要するにあんたは小林ちゅう人を山形でさがすとる、と」

「はい」

「えまも申すた通り、小林さんちゅう人は山形に何十人おるかわかんねえ。どういう小林さんか、言ってけらっしぇ」

ガストンも、もちろん、この小林について何も知らなかった。ただ遠藤の話から彼がむかし軍人であったことと、戦争中南の島にいたことぐらいしか、わかっていなかったのである。

「ほう……軍人で、南の島にな……」老警官は首をかしげたが、

「小林伊平さんのことかもすれんな」

幸いなことには東京とちがって山形の町は小さい。町の人は純朴であり好奇心が強いから、長い冬の間はコタツに体を入れて、知人の消息をあれこれと話しあう。軍人で南方に行った小林とよぶ男の一人を、この老警官は知っていたらしい。

「伊平さんなら小姓町のちかくに住んどるよ」

「コショマチ？」

「んだ。むかしはお女郎町ちゅう」……きいろい欠けた歯を見せて老警官は笑った。

「お女郎言うても異人のあんたにはわからんじゃろ」

十分後、雨合羽を羽織ったこの親切な警官は、自転車を押しながらガストンを小姓町につれて行った。

「わすはここで失敬するよ。あのかどをむずれば、伊平さんの家だな」

霧雨が少し小やみになった。このあたりはかつて山形の遊郭が並んでいた場所である。江戸時代

そのままの名残りをとどめて、古い二階、三階だての高楼が雨にけむっていた。けれども売春防止法という新時代の法律はそのむかし紅灯のはなやかだったこのあたりを、すっかりさびれさせていた。

教えられたとおり、かどをまがると、道は細くなって左側に高橋とかいた薬屋があった。その隣りは室屋本店としるした酒屋である。酒屋の二軒さきに、

「小林土地調査所」

よごれたガラス戸にそんな看板をぶらさげた小さな家が、ガストンの目についた。彼がその窓に顔をそっと押しあてると——

忘れもしない、あの遠藤が土間に立っている姿が見えたのである。

地図

土間に立った遠藤は上着を片手にかけて煙草を口にくわえたまま、だれかを待っているようだった。

もちろん背後のうすよごれたガラス戸からガストンがのぞいていることに、気がついてはいなかった。口もとまですった煙草を土間にはじきとばすと、遠藤はクリーム色の夏ぐつでそれをふみつぶした。

少しいかった肩や、細い首すじや、鼻すじの通った白い顔をガストンはくい入るようにながめた。ハンカチで口をぬぐっている。この癖も山谷で遠藤と共にくらしたガストンには見おぼえのあるも

のだった。

奥からだれかが出てくる。玄関のくらい陰のなかから、そう――年は五十をこした貧弱なやせた男が姿をあらわした。その顔はネズミによく似ていた。ネズミのようにキョトキョトとして、卑屈なおびえた目をしている。

（この人、小林）とガストンはすぐ気がついた。もっともむかし軍人で南方に行った男ときいていたから、ガストンはなぜか小林を体格の大きい、ガッシリとした男のように想像していたのであるが……

その想像を全く裏切って、土間の上り口にすわった男は着物のえりをひろげ、あばら骨さえ見せていた。

よごれたステテコから出たすねを小林はボリボリかきながら、なんであろう、一枚の紙を畳の上にひろげている。指でその紙の一点をしきりに指さしている。遠藤も前かがみになって、その紙をのぞきこんでいる。

こびるように小林は笑いをそのネズミ顔に浮べて、なにかを遠藤に話していた。

ふしぎだった。この小林が遠藤にとってどんな人間かはガストンだって知っていたからである。作業場でガストンに山形に行く理由をもらした遠藤の目は憎悪と怒りとで血走っていたのを見たからである。

その二人が今、あたかも仲間のように一枚の紙を真中にはさんで、ともかくも笑ったり、うなずいたり、なにかを相談しあっているのだ。

雨がまた激しくなった。ガストンの首すじに軒から落ちる大きなしずくがながれこんでくる。向いの八百屋から鼻をたれた子供が三人、ふしぎそうにこの異様な外人を見つめていた。

遠藤が手をふった。小林がうなずいている。遠藤が三本の指をだした。

ガストンは深いため息をついた。なぜか知らないが一時に体中の疲労がこみあげた感じだった。怖れていた場面のかわりに、こうした光景を見せられると、なかばホッとした気持と、なかば裏切られたような気持とがわいてくる。

話がすんだのであろう、片手にかけた上着に遠藤は手を入れはじめた。小林が土間の壁にかけた雨傘をわたす。

たてつけの悪いガラス戸をあけて、殺し屋は灰色の空を仰いで、

「じゃ、明日ももう一度、顔をだすぜ」

小林はまたこびるような笑いを浮べて遠藤を見おくった。

その遠藤が水たまりのできたどろ道を十メートルほど歩きだした時、ガストンはポンとその肩をたたいて、

「エンドさん」

「………」

破れガサを右手に握りしめたまま、遠藤は目を大きく開いて、ものも言わずガストンを見あげた。たとえ夏のあつい日に雪がふりだしたとしても、この男はいま以上に驚愕の表情を顔にうかべなかったであろう。

「エンドさん」

ガストンは人なつこく笑いながら遠藤の肩をもう一度、ポンとたたいた。自分が相手をこれほど驚ろかしたことが、うれしくてうれしくてたまらぬといった様子である。

「お前……」やっとかすれ声で遠藤は言った。「お前あ……」

それから、突然、口をつぐむと彼は顔をプイと横にむけた。つばを地面に吐きすてて、カサで顔をかくすようにして、遠藤は足早やに歩きだした。

「マテください、エンドさん」

けれども肺病の男はうしろをふり向きもしなかった。水たまりの道をふむガストンの足音を耳にすると、遠藤はカサを手に持ったまま歩調を早める。道を右に曲る。左に折れる。

雨にけむった山形の裏道には人影がない。くずれた石垣の上に大きなクスの木が茂っている。そのぬれた青葉のにおいが漂ってくる。

このあたりには寺が多い。寺の白いへいがどこまでも続いている。

明善寺、心縁寺、円両寺、大宝院。

一つの寺のへいがつきると、次の寺のへいがはじまる。読経の声がそのへいを通して裏道にきこえてくる。

ポコポコポコポコ、ポコ

あれは木魚をうつ音であろう。木魚をうつ音は五月の雨のふる山形のしずけさを更にふかめるようだ。

ポコポコポコポコ、ポコ

遠藤は耳をすましたが、あのえたいの知れぬ外人の足音はもうきこえなかった。急に胸が息ぐるしくなった。

（山形まで追いかけてきてどうしようってんだよ……このおれを）

遠藤にはあのガストンというバカのような男が、今更のように気味がわるかった。なんのために山形まで自分をさがし、追跡してくるのか、わからなかった。

ポコポコポコ、ポコ

木魚の音にあわせて、読経の声もきこえてきた。顔をあげると、そこには専称寺とかいた、ひときわ大きい寺がひろがっている。山門の奥に樹齢二、三百年をへたようなイチョウの大木が雨にぬれていた。

「エンドさん」

突然、あの間のぬけた声がこの大木のかげからきこえてきた。まいたはずのガストンが、いつの間にかそこに立っていたのである。

まるで雨の中を泳いできた幽霊のように……どこをどう先まわりをして待ち伏せしていたのか奇怪だった。

「エンドさん、あなたと話、したいことあります」

ふしぎに遠藤はぼんやりと相手が自分のそばに近づくのをながめていた。足早やに走りすぎたためか、また胸がくるしくなった。思わずのどもとにこみあげてくるものを山門の石だたみに吐いた。雨水の上にひろがったのは、真赤な血だった。

雨がやんで夜になると、今度はうだるような暑さだった。四方が山にとり囲まれた山形はその緯度にもかかわらず、予想以上に暑くるしい。かつて日本の最高の暑さをこの山形は記録したことさえあるのだ。

今夜も——

風がない。よごれた窓にスダレがダランとぶらさがっているのも息ぐるしかった。その上、畳までベトベトと湿気をおびて。

小姓町のむかし遊郭だった家である。東京の吉原や新宿と同じように赤線廃止以後、旅館にきりかえたのである。蚊の死体がへばりついた壁にも花鳥を描いたやぶれブスマにも、この部屋で夜を送った男と女の、息ぐるしい体臭がしみこんでいるようだ。

遠藤は乾いたくちびるをなめながらじっと天井を見あげた。天井には電灯のカサのかげがコウモリのように動いていた。

まくら元にすわったガストンも上着をぬいでシャツ一枚になりながら、時々、洗面器からぬれた手ぬぐいをしぼって、遠藤の頭をふく。

専称寺の山門で血の塊りを吐きだした殺し屋はガストンに助けられて宿屋まで戻った。寝床を敷かせて体温を計ると八度以上の熱である。暑さと雨と旅とがこの肺病の男をシンのシンまで疲労させたのだった。

一匹のガがスダレの間からとびこんで、電灯のまわりをグルグルまわりはじめる。ガストンはたちあがってそのガをつまむと、窓の向うに放してやった。ガはふたたび灯を求めて、黄粉をまきちらしながら、部屋にはいってくる。

「殺しゃいいんだ……え？　なぜ殺さないんだ」

遠藤はじれったそうに怒鳴る。だが彼はガストンが困ったようにガの羽をつまみ、殺すのをためらっているのを見ると、突然、この男に言いようのない憎悪をむらむらっと感じて、

「偽善者が……」

ガをガストンの手からひったくると、枕であらあらしく押しつぶした。

「おい……いつまでこの部屋にいるつもりなんだ。……おれのあとをどこまでつきまとってくれるんだね」

「エンドさん、あなた病気……病気なおりました時、さよならするよ」

小林を傷つける気配がないのを見たガストンには今、この遠藤を看病することが、ただ一つの仕事だと思われた。

「おりゃ……」遠藤はかすれたセキをした。「いつまでもこの山形で寝こんじゃいねえよ……明日はもう起きるんだ」

「明日……ダメ、そのわるいわるい体……」

「ダメと言ったって起きなくちゃならないんだ」

「…………」

天井にゆれ動く電灯の影をながめながら、遠藤はふと、明日のことを考えた。

実は明日――

彼は小林と、山形市をとり巻いている山の一つ高森山と白鷹山に登る手はずになっていた。

なぜ遠藤がこの山に登るかという理由は三日前の午後にさかのぼらねばならない。

山形に着いてから遠藤は小姓町のちかくに住む小林をたえず監視するとともに、二人だけで対決する機会と場所とをねらっていた。

よごれたガラス戸に「土地調査」という看板をかかげた小林は、セカセカとネズミのように山形の町を歩きまわっている。彼の仕事はいわゆる雑業というやつで、買主に代って土地の登記や公示坪数と実坪とを調査したり、値段の見つもりをするだけではなく、一山あてるために、東北の山奥を歩きまわっているいわゆる山師連中に、情報を提供することもやっているらしかった。

うすぎたないステテコの上に、これもよれよれの着物をひっかけて県庁や登記所や不動産屋に首をつっこむ小林の姿は食物をあさるネズミのように見えた。近所の人々も彼を軽蔑と憐憫の入りまじった目でながめている。

(これが昔の陸軍少佐の……なれの果てか)

自分にとっては仇とも言うべきこの男のあとをつけた二日間、遠藤も時として一種、あわれみの感情に似たものをおぼえることがあった。

傾いた小さな家をのぞくと、いつも所帯やつれした女房が、勝手口で足をひろげながらボロを洗っている。腹のふくれた男の子がそのそばにまつわりついている。

そんな光景を見るたびに――

遠藤はさすが動揺する心を押えようとした。小林の家を監視できる小姓町の昔の遊郭だった宿の一室で、彼は一日……二日……と、機会の来るのを待っていたのである。

三日目の午後

午前中は家にとじこもっていた小林が例によってあかじみたエリの間から、やせた胸をのぞかせながらセカセカとあらわれるのが宿の窓から見えた。遠藤は素ばやく上着をひっかけて尾行の用意をする。

午前中は晴れていたのに昼から山形の空は曇りはじめた。

小林はうすい陽の光が灰色の雲からもれる大通りを歩きだした。山形で一番繁華な七日町の山形銀座であるが、この通りで彼は、ときどき顔見しりの連中に会うときそのネズミのような顔に卑屈な笑いをうかべてペコペコと頭をさげる。

「どこさ行く？」

自転車にまたがった一人の男が声をかけると、

「馬見ヶ崎にちと、用があってな」

と、小林は答えた。

馬見ヶ崎ときいて遠藤は心のなかでシメタと思った。山形に着いた当日、彼は地図をたよりに山形の町を歩きまわった。小林に会うためには人影のない場所をえらばねばならぬ。その点、馬見ヶ崎の河原は、町に近くてしかもまひるでもほとんど人の姿は河原に見えない。

小林は自分が尾行されているのに気がついていなかった。チビたゲタを気ぜわしく動かしながら、県庁前まで来ると、代書屋にちょっと首を入れてそこの主人らしい男としばらく立ち話をしていた。五分ののち彼はふたたび宮町にむかって歩きだした。宮町から川べりまではすぐである。

馬見ヶ崎には雨の日以外にはほとんど水がない。白い河原に大きな石がゴロゴロ散らばっているだけである。夜になるとここはアベックの憩うひそかな場所になる。

堤まで来た時、遠藤はこのやせた男の背中に素ばやく近づいた。

遠藤の名前を耳にすると小林の貧弱な顔は蠟をぬりたくったように真青にゆがんだ。

「河原まで歩いてもらいましょうか」

遠藤にとって幸いなことには道にも河原にも人影はなかった。ずっと離れた二口橋をトラックが一台、通りすぎて行くだけだった。

「あ、あ、あ、あ」小林はくちびるをふるわせながらドモった。「あ、あ、あ」

「どうしました」

左側は市の塵埃を焼き捨てる場所である。塵埃の腐ったいやな臭気がここまで漂ってくる。

「どうしました、小林さん」

あの日、銀座の作業場でこの男の同類だった金井と同じように、遠藤がわざと礼儀正しい言葉をかければかけるほど、相手の顔は恐怖と驚ろきとでゆがんだ。

はだけたえりもとから肋骨のうき出た胸を見せながら、小林はあとずさりをする。

「か、か、か、か」

「何をおっしゃってるんです」

体で押すようにして遠藤はジリジリとこのネズミのような男を河原に追いつめた。白い河原には石ころが散らばり、雨がふってくるのかそれらの石の間でないていたキリギリスの声が急にとまった。この近くには市営の砕石場がある。その砕石用の小さな小屋が一軒たっていた。

「ここにはいってもらいましょうか……ここに」

「か、か、か……かえす」

「かえす？」遠藤は小屋の入口までくると、上着の下に手を入れた。固い拳銃が彼の指にふれた。

「かえすって何をかえすんですかね」

そして遠藤は相手の顔色をゆっくりとうかがいながら、ワナをかけた。

「やっぱり、あんたが隠していたんですか」

何を小林が隠していたのかはもちろん、彼にはわからなかった。わからなければこそワナをかけてみたのだが、何か無実の罪で殺された兄の秘密に関係のあることだと、直感的に頭にひらめくものがあった。

「小林さん、小屋の中で話をきこうじゃないか……雨もポツポツふりだしたようだし」

本当だった。さきほどまで曇っていた空から、ポツリポツリと雨のしずくが白い河原の石にシミをつけはじめてきた。

小屋の中は暗かった。やぶれた木の壁にシャベルやセッコがたてかけてある。

「隠してたものを出してもらいましょう」

「こ、こ、ここじゃない。沼」

「沼？」

初めてきく話だった。十四年前、兄のいた部隊では金井や小林が共謀して原地の銀行から接収した銀の延べ棒の一部を、ひそかに隠したことがある。その時、作業に使った原住民は秘密がもれないように金井の命令で全員射殺した。兄はその責任をすべてなすりつけられたのである。兄が手紙の中でなぜくわしく書かなかったが、遠藤は初めてわかるような気がした。

「沼ってのは、なんなんだ」

彼は言葉をガラリとかえた。

「え、そうか。お前はその延べ棒をそこに隠してるのか」

「お、おれじゃねえ、ありゃ金井にたのまれて……」

「いいからよ、沼ってどこなんだ」

「大沼……」

小林がどもりどもり、声をふるわせて告白した話によると――

昭和十九年の七月である。つまり終戦前一年前に小林と金井はそれぞれT島から日本に戻ったが、これは目さきのきく金井が戦況の不利を見こして司令部に運動したためであった。

小林は本部隊幹候教育の教官となり、金井は東部軍糧秣関係の部署でそれぞれ勤務することになったが、もとより二人には第一線に戻る意志は全くなかった。T島からひそかに運ばせた銀は金井が三分の二をとり小林が三分の一を受けとった。

終戦がくると金井は銀塊を第三国人に売り、それを資本にして貿易に手をだしたが、小心の小林は罪の発覚と良心の呵責にたえかねて手をつけなかった。家族にさえ気づかれるのを怖れた彼は、この延べ棒をひそかに隠匿することを考えたというのである。

雨のたたく音が天井からきこえる。初めは真暗だった小屋の内部も次第にうすぼんやりと目になれてきた。

「本当かね、小林さん」

遠藤は皮肉に笑いながら、ライターの火をつけて相手の顔を調べた。その火かげに黒いみにくいくまどりをつくった小林の小さな顔は、しなびたミカンの皮のように見える。

「じゃ……大沼はどこにあるんだ」

遠藤のきげんをとるために相手は沼のことを懸命に説明した。

山形の北西——荒砥、長井の町々に行くためには狐越街道とよぶ道を通らねばならぬ。この狐越街道は沼木、門伝の部落をすぎ、富神山、高森山、白鷹山など出羽山陵の山々を越えるのだが——昔の火山の名残りであろう、高森山から白鷹山にかけて苔沼、荒沼、曲沼など数知れぬほど沢山の沼がちらばっている。そのうち一番大きなのがこの大沼だった。

大沼には古い伝説がある。

この沼の竜神はしばしば近くの沼をおそいその沼の主である女性を奪うのが習わしだった。むかし藤五郎とよぶ一人の武士がこの大沼のほとりでしずかな眠りにひたっていた時、夢の中に一人の女が鮮やかに現れて彼に救いを求めた。大沼の主の手から自分を助けてほしいと言うのである。目をさますとふかい、暗い沼の波がざわめいている。武士は矢をつがえて、その波を射た。そして沼を鎮めたのである。

遠藤の頭には山奥の陰気な沼の風景がふと浮んだ。小林が沼に銀塊をかくしたなどとは半分も本気にすることはできない。ひょっとすると自分にワナをかけているのかもしれぬ。

だが、かりに本当としても、その沼こそは自分が小林を消すのに一番、格好の場所かも知れなかった。兄の潔白を証明するためにも行く必要があった。どっちに転んでも損はない。

「おい、出かけようぜ、そこに……」

小林は沼に行くためには道具がいるという。ともかく地図を見るだけのためにも自分の家に来てくれと頼んだのである。もっともな話だった。

翌日の朝、遠藤は小林につれられて狐越街道から山にのぼることになっていたのである。だがこの体では……

殺し屋はぼんやりと自分の額を手ぬぐいでぬぐっているガストンを見た。この男をまた利用する方法を彼はじっと考えたのだった。

地方の宿屋で失望するのはいつも食事である。東京から来たものにはその地方特有の名物を食いたいと思うのだが、たいていの二流旅館で出されるものはマグロのサシミかトンカツなど相場がきまっている。

だが「荒木又右衛門」でその夜、用意してくれた食事はさすがに隆盛や巴絵をガッカリさせなかった。アユの塩やきや最上地方のミソ汁や青いアスパラガスなど、この地方でとれたものばかりと思われた。

最後に涼しいカット・グラスに黄色いさくらんぼを山盛りにもって、

「これがナポレオン?」

思わず巴絵が一つ、口に入れるとかすかに酸味はあるが東京ではたべられぬ甘さだった。

「味が落ちとりましょ。もう時期がちと、遅れてます」と女中は笑った。

「でも……おいしいわ」

手のひらにさくらんぼをのせて兄妹はじっとガストンのことを考えた。自分たちだけこんな夕食をたべ、食後のさくらんぼまで味わっているのがガストンに対してすまない気がしみじみ起ってくるのだった。

雨はやっとやんで、風のないむし暑い夜が訪れた。

この山形で知り合いの外人をさがしたいのだがと、巴絵が女中に相談している間、隆盛は畳にねそべって山形の地図をひろげた。

山形の町の名が彼には面白かった。塗師町、銀町、蠟燭町、桶町……これはむかし、そのおのおのに塗師やオケやロウソクを作る人々が住んでいたのであろう。七日町、八日町、十日町……ここにはむかし、七日、八日、十日に市がたったのであろう。百姓町、旅籠町、大工町――これらもそれぞれ名前の由来がわかるような気がする。

「どうだった」

女中と廊下で立ち話をしていた巴絵が部屋に戻ってきたので、隆盛が小声でたずねると、

「町はそんなに広くないし……それに外人なら目立つからすぐわかるでしょうって言ってたわ。ともかく、今夜、方々の旅館に電話してくれるそうよ」と巴絵も兄のそばに坐りながら答えた。

「そうか……」

「警察に連絡しないでいいかしら」

「それはあとまわしにしようよ。事はまだ重大化していないのだし……ガスさんだって罪人あつかいにされるのはいやだろう」

もっともな話だった。

「なに見ているの」

「地図さ。面白い名前が多いね。狐越街道だってさ。狐がむかし、ヨメ入りでもしたのかな。沼の多いところだな、山形のちかくは」

「蔵王もすぐそばでしょう」

「な、巴絵、山の沼なんてちょっとロマンチックじゃないか。ガスさん見つかったら、三人でハイキングに行かないか……」

階下ではテレビの声がきこえてきた。ナイターらしかった。

蒲団をのべにきた女中は、七、八軒、山形でも大きな旅館にたずねたが、ガストンという外人は宿泊していないらしいと言う。

「上の山温泉にも連絡してみましょ」

上の山温泉は東京で言えば熱海にあたるような温泉だそうである。

「これじゃ、いよいよ警察にお世話になるかなあ」

枕をならべて兄妹はそんなことをささやきあった。

血を吐いたこの体ではとても明日、狐越街道を越え、高森山まで歩くことは困難である。地図で調べると大沼のあるあたりは七六六メートルの東黒森山と七八三メートルの高森山の中間にある。

もっとも昔とちがって今はこの山の間を通り、荒砥、長井にむかうバスが通っているのだが、遠藤としては人目をさけるためにも早暁、まだ夜のあけぬうちに山に出かける必要があった。

小林の話によると、こんな山奥の沼にも時々木こりが通ったり、サオをかついでフナをつりに来る男が現われるそうである。だから彼自身も隠匿した銀塊をひそかに引きあげるためにはまだ夜のあけきらぬうちがよいと言っている。

もちろん、遠藤はこのガストンになぜ山に登るかを説明する必要はなかった。説明しなくてもガストンは自分についてノコノコと沼まで来るにちがいない。

自分の体が急な坂道で登れねばこの大男におぶされればよい。重い銀塊を沼の中から引きあげるのにも役だつはずだ。

仰むけになったまま遠藤は天井にうごく電灯の影をぼんやりとながめた。

（それで小林に復讐する時は……）

自分は銀塊の在り場所をたしかめたあと、小林に復讐するつもりである。その時ガストンがもしこの間と同じようなバカなまねをするならば……

（おれはこの男を殺してしまうだろうか）

殺し屋は壁にもたれて、長い足を両手でかかえたまま居眠りをしているガストンを、そっとうかがった。ガストンも一日の疲れがどっとでてきたにちがいなかった。

なんという間のぬけた顔だ。口を少しあけてヨダレさえあごにたらし、そのあごに長い顔をのせて小さなイビキをかいている。

（おれはそんな時、この男も殺してしまうだろうか）

今は殺す気持はもちろんなかった。だが明日事情の如何でどうしても必要となれば、自分はこの口をあけてヨダレをたらしている大きな顔に拳銃のタマをぶちこむかもしれぬ。この想像はなぜか暗い残酷な快感を遠藤に与えた。

「おい」

彼はひくい声でガストンを起した。

「おい……ガス」

キョトンとしてガストンは目をあける。夢でもみていたのであろう。目をしばたたきながら遠藤と部屋をみまわしていたが、

「セ・サ・セ・セット・シャンブル」

フランス語でなにかつぶやきながら、

「遠藤さん、手ぬぐい、すぐかえる」

あわてて洗面器の中に手をつっこむのである。

「おい……おれがどう思っているか知っているか」

遠藤は熱でひからびたくちびるをなめながら言った。

「おれは……いつかは……おまえを殺すような気がするね」

「………」

「おれにはお前さんが時々たまらないほどいやになる。とぼけて、善人ぶって、心をごまかして……偽善者じゃないか、あんたは」

「ギゼンシャ?」

「イポクリットのことよ。おれみたいな人間には……お前さんのその面の皮をはがしたくてたまらないね」そういって遠藤は笑った。

午前四時半

ガストンは肩をゆさぶる遠藤の手で目をさました。あけ放した窓のむこうに、だらんとたれさがったすだれがほの白く見えて、まだ真暗な夜空である。寝しずまった宿の中では物音一つきこえな

い。

「起きるんだ」

遠藤はすでにズボンをはき、リイシャツを着ていた。ぬぎすてた彼の寝巻が蒲団の端にまるめて捨ててある。上着に手を通す時、彼はタンのからんだかれたせきをした。ガストンはその上着の下にコルトがひそかにかくされているのをチラッと見た。

「どこ、行くか、エンドさん」

「………」

「これいけないことよ」

だが遠藤は黙ったまま部屋のふすまをあけて、

「おい」

あごでガストンを促した。

玄関はやみだったが、二人の足音をききつけてたれかが灯をつけた。この家の内儀がしどけない格好であらわれた。

「今日は、戻るか、戻らんかわからんから」殺し屋はくつをはきながら言った。

「金は今、全部、払っとく」

ポケットから札束をだしてその四、五枚を握らせると、内儀は厚いくちびるをひらき金歯を見せてニヤッと笑った。

町もまだ真暗だった。表通りに出ると青い街灯がポッン、ポッンとともっている。牛乳屋だろうか、市場に野菜を運ぶ近隣の百姓だろうか、一台のリヤカーが車輪をきしませながら人影のない辻を通りすぎていく。

山形銀座の四つかどまでくると、遠藤はたちどまった。道を隔ててよろい戸をしめた映画館と両羽銀行がぼんやりとうかんで見える。

「どこ行くか、エンドさん」

「どこでもいい。帰りたければ帰るんだな」

殺し屋は胸を左手でおさえながら、苦しそうに息を吐いた。

「おれは、お前さんに一度だってついて来いとは言いはしない」

「…………」

「そうだろ、そうじゃないか」

例によって目をしばたたきながら、ガストンは困った顔をして遠藤を見あげた。

「エンドさん、わたしキライか」

「ああ……シンのシンからきらいだ」遠藤はうす笑いをうかべて肯いた。「君の長い、そのとぼけた顔を見ると吐気さえする」

それから二人はしばらくの間、黙っていた。遠藤は腕時計をチラッと見て、五時か、とつぶやいた。

両羽銀行と映画館がさきほどよりも、少しはっきりと、白く見えてきた。夜があけはじめたのである。新聞をつんだ自転車が一台、二人の前を走っていった。

足音が遠くからきこえてきた。足音は一度途切れたが――

小林だった。ヨレヨレのレーンコートを着て、長ぐつをはいている。

遠藤は口ぶえを吹くと、このネズミのような顔をした男は足をとめ、けげんそうにガストンを見つめている。

遠藤はゆっくりと彼に近づいて、時々こちらをふりかえりながら、何かを説明しはじめた。

暗い沼

立話がすむと遠藤はガストンを手招いて、

「おい、これを持ってくれ」

小林が持ってきた太いなわと大きなスコップとを手わたした。

なんのためにこんななわやスコップが用意されているのか、二人が今からどこへ出かけるのかはガストンには、想像がつかなかった。けれども彼にとっては遠藤があれほどの敵意と憎しみを忘れたような顔つきで小林と話をしている——そんな光景だけで十分だった。両者がどういう理由でこう折れ合ったのか、妥協したのか、つかむことはできなかったが、たとえその理由が何であれ、血を流したり殺し合ったりする悲惨にくらべるとまだましだった。

「ナカコシか」

ガストンはニコニコとして二人を見くらべた。そしてこの二人に自分までが仲間入りしたいといった表情を顔いっぱいに見せて、たのしそうに口ぶえをふきはじめた。

「うるさい」突然、遠藤はガストンをふりかえって怒鳴った。ガストンは思わずするめた唇を前に突きだしたまま息をのんだ。

こうして——

三人は黙々として歩きはじめた。前に小林と遠藤が立ち、うしろにガストンが荷物をぶらさげ、寝しずまった五日町の通りを通りぬけた。

小林が遠藤に話しかける声が背後にながれてくる。

「大丈夫かね、あの外人は」

「………」

「別にうたがうわけじゃ、ねえけんど」

「一体、だれが指図してるんですね」遠藤がひくいが鋭い声で答えている。「あんたはおれのやることに文句があるんですか……」

小林は卑屈な笑いをうかべて何かお世辞を言った。

狐越街道はひろい村山平野の真中を一直線に山にむかって延びていた。夜が次第に明けはじめる。まだ暗紫色の雨雲が目の上の空をいっぱいにおおっていたが、出羽丘陵の山々の周囲だけがほの白く割れはじめた。

「まだ遠いのか」

遠藤は時々、畑につばを吐きながらたずねた。

山形は四方が山にまぢかに囲まれた、息ぐるしい町のような気がしていたが、このひろい村山平野のなかに立ってみると、急に道は遠く、山ははるか彼方にあるように思われる。

「エンドさん、だいじょびか」

つばを幾度も吐くのでガストンが心配そうにたずねると、遠藤はこわい目でこちらをにらみつけた。

「病気なのかね」小林は驚ろいたようにたずねた。

「…………」

「そうか、病気か」

朝のかすかな光の中で今までネズミのように卑屈だった小林がなぜか、うす笑いをほおにうかべたのを遠藤は見のがさなかった。

「なぜ笑うんですね、小林さん。ああ、おれは病気だよ。肺に穴があいてるんだ。だが、あんたが変なマネをするなら……」

最初の部落のひくい小さな屋根が雲の下に見えはじめた。柏倉門伝という小さな村だった。もうどのくらい登ったであろう。

平野がつきると、そこからは富島山の坂道にかかる。四〇二メートルという余り高くもない山ではあるが、道は急な坂だった。平野から見ると山は晴れていると思っていたのに、登るにつれて昨日と同じように、細かな霧雨がふっているのがわかった。

右側にはあわれな貧しい畑がある。クワの木にかこまれたネコの額のような畑にはネギや一握りほどの麦や、トウモロコシしか植えていない。

道が羊腸と折れまがるので、いつまでたっても峠までいかぬようである。その上、この峠をすぎればさらに松森山、高森山の渓をぬけねばならないのだ。

遠藤の息が次第にあらくなった。肩で呼吸をしているのが、うしろから荷をもったガストンにもはっきりわかる。時々くるしそうにこちらをふり向く彼の額に汗が浮かび、髪の毛がべっとりついていた。

「休まないか」

もう一歩も歩けぬという風に遠藤は道ばたの石に腰をおろした。そしてあえぎながら両手で頭をおさえている。

時々、霧が山腹の杉の林の間をぬって風に送られてこちらに流れてきた。霧ではない、こまかな雨だった。雨はガストンや遠藤の衣服を通して肌にしみてくる。

ただレーンコートをきた小林だけはそんな心配はいらなかった。背もひくく、セカセカとした彼はやはり昔、将校だっただけはある。思いのほか元気だった。

石の上に倒れるように腰をおろした遠藤の顔を見て、小林のこけたほおには、うすら笑いがゆっくりと浮かぶ。まるで体力のないこの殺し屋をあざけるような笑い方だった。霧にかくれた杉林を見ながら、彼はなにかを考えているようである。

遠藤がたちあがると、三人はまた黙々として山を登った。ガストンも普通ならばこれほどの山道はなんでもないのだが、山形に来て以来食事らしい食事もとっていない上に、昨夜は二、三時間しかまどろんではいない。それに大きなスコップを肩にかついでいるため、他の二人よりも、がんばらねばならなかった。

「まだか……」

「まだだね」つめたく小林は答えた。「まだ三分の一も来ていないな」

遠藤はのどからしぼるようにタンをはいた。やはり真赤な血糸のはいったタンである。

「そんなひどい肺病だったのかい、遠藤さんは」

小林はそのタンを見つめると初めはおびえたようにたずねた。それからふたたび、あのうすら笑いを口もとに浮かべて、

「肺病には、とても大沼までは無理だ……」

「おい」遠藤はうめくように言った。

「お前、逃げでもしやがると……」

「わかっとる。わかっとるよ……なあ、遠藤さん」

いつの間にか殺し屋はコルトの拳銃を手に握りしめていた。ガストンは思わず足をぎくりととめて大声で叫んだ。

「遠藤さん、そのこと、約束ちがう」

「撃たねえよ。ガス。この小林が逃げでもしなけりゃあ……」

登るにつれて霧はますます深くなる。十メートルさきの木立ちも岩も乳色の幕の中に包まれてその灰色の輪郭がおぼろげに見えるだけである。

だから、ともすれば遅れがちな遠藤は霧の中にかくれ、時々、苦しそうなせきの音だけが、その所在を明らかにするのだった。もう真下の平野も見えない。さきほどまでは点々として山路の両側にちらばっていた人家も畑もすっかり姿を消して、ただ一面に霧、霧、霧だった。

そのふかい霧の中を歩いていると、まるで別世界にはいっていくような気がした。灰色の夢を見ているような錯覚にとらえられた。このまま時間も空間もない乳色の沼の底に吸いこまれていくような気持だった。

ガストンは自分が今どこを歩いているのかわからなかった。わからないといえば、ここが日本で

あるという現実感がいっこうに伴わないのである。ガストンの故郷であるサボアの地方には、高さ二千メートルをこす山々が多い。それはスイスのアルプスの支脈だからである。

(今、歩いているのは……サボアの山の中じゃないだろうか……今から友だちと山の中にたきぎを集めにいくのではないだろうか……)

だが、こうした空想とも幻想ともつかぬ気分は、背後の遠藤のからせきの音で破られる。そして目の前にははねのあがったゴムの長ぐつをはいて、ヨレヨレのレーンコートをかぶった小林が、道をのぼっている。

そう――たしかにここは日本だった。そして自分が夢にも考えたことのないヤマガタという町に近い山の中だった。

結局、なにを自分はこの日本に来てやったのだろうか……やったことといえば、人々の邪魔になることだけ、野良犬のようにうろつくことだけ、そして遠藤のように手をさしのべた男からさえも憎まれることだけだった。

自分は社会に役にたたぬ人間なのだ。ガストンは自分がこの山のどこかで死んだとしても、翌日はだれ一人として思いだしてくれる人間などいないのを、今さらのようにかみしめた。隆盛さんだって巴絵さんだって、初めは驚ろくかもしれない。しかし一か月もたてば、ガストンのことは忘れるだろう。

(わたしがやったこと……それはただ、人のあとをついていくだけ……)

たとえばこの遠藤に対しても同じである。自分は遠藤の心をひるがえさせたり、そのすさんだ気持をしずめてやることさえできない。ただあとをついていくことしか、方法を知らないのである。

遠藤は額の汗を手でぬぐいながらもう五十メートル……もう五十メートルと、心の中で言いきかせながら、足をひきずっていた。五十メートル歩くと、もう五十メートルとつぶやくのである。こんな霧の中では、小林が何をしでかすかわからない。予科練のころ、兄の送ってきた表紙のやぶれた聖書、初めて喀血した夜のことが、彼の脳裏を無関係にかすめる。

（おれのこの体は……こいつらを憎まねば、もっと早くノビていたろう）と、殺し屋は考える。（人間を憎むことだって生きる情熱になるものなのだ）

やがて——

風にわずかに吹きちらされた霧のやぶれめから、青黒い水面が遠くに見えた。水面のそばに一軒の戸をとじた茶店がチラッと姿を見せた。それが大沼だった……

沼はどのくらいの広さかわからない。対岸はガスでおおわれているからである。対岸だけではない。

みるからに冷たそうな暗い水面にも、蒸気のようにガスははっていた。池の真中には小さな雑木林におおわれた対岸の一部が島のようにぼんやり浮んでいたが、霧が水の上を流れるので、まるで島自身がゆっくりと移動しているようである。

雨にぬれた沼の岸に、なぜだろう、古びたバスの車体が一つ捨てられている。

その背後に戸をとじた一軒の家があった。夏場になってここまでハイキングにくる人たちの休息所なのだろうが、この雨のふる日には訪れる人影もない。だれかが住んでいるのかもわからない。

「おい、あの家に行って」遠藤はガストンに命じた。「なにか飲むものを……水でもいい、もらってきてくれ」

「外人が行っちゃだめだな。怪しまれる。わしがもろうてこよう」

小林は首をふってさえぎった。ガストンのような人間が戸をたたけば怪しまれるというのである。二人をバスの車体のなかにかくすと、小林は長ぐつで水たまりをふみながら、その茶店にちかづいた。戸をたたくと、一人の野良着をきた男が顔をだす。小林がなにかを言うと、その男は家のなかに姿を消した。

雨のこぼれ落ちる車体の壁にもたれて、遠藤はコルトをハンカチでぬぐっていた。額を汗がながれている。その額に一、二本の髪がべっとりとついている。東京にいたころに比べて、ずっと肉のそげたほおと、目の下の黒い病的なくまどりとは、二、三日来のひどい憔悴をあらわしていた。

「エンドさん、帰らないか」

ガストンは小さな声でそっと彼に話しかけた。

「………」

けれども肺病の男は黙ったまま手を動かしていた。弾倉をぬき、弾をしらべ、弾倉をはめ、安全装置をかけて、彼はポケットに拳銃を入れた。

ピチャピチャと長ぐつの音をたてて小林が戻ってきた。両手にオレンジ・ジュースのびんを三本もっている。

「こんなものしかねえ」

「見つからなかったろうな」

「大丈夫だよ。フナをつりにきたと言っといたよ」

「まさかあの家から電話で山形に連絡なぞしなかったろうな」

「ばかな……電話で連絡してわしが何の得になる……」

だが遠藤はジュースのびんを口にあてながら疑いぶかそうに小林をみつめていた。それから半分しか飲まぬびんをバスの窓から沼に放りすてた。霧のなかをびんは小さな音をたてて沈んでいく。

「おい、場所を教えてもらおうぜ」

「急ぎなさんなよ。わしはまだ全部飲んどらん」

急に小林の態度がかわって、今までとちがった横柄な口のききかたをする。

「なにイ」

「五十メートルほど先の所よ、遅れてもあんたがとる物はなくなるものでなし……」

山形のめぼしい旅館にガストンがいないならば、おそらく上の山温泉に泊っているのだろうと言うのが「荒木又右衛門」の女中や番頭の一致した意見だった。

その上、上の山温泉の大旅館の一つである「よし屋」に電話をかけてもらうと——

自分の所にはそんな客は見あたらないが、この四、五日、外人さんが一人の日本人と温泉町を歩いている姿を見た者もいるという話である。

「それじゃ、思いきって上の山温泉に行かれたらどうです」

顔も体もホテイ様のように丸く肥った「荒木又右衛門」の主人はたいこ腹に両手をあてて隆盛と巴絵とに勧めた。この主人が山岳協会の有力なメンバーであることを兄妹は到着以来女中から聞かされていた。

「なあに、小さな温泉町ですからね、行けばその外人ぐらいすぐ見つかりますよ」

上の山は山形から車で三十分とかからぬ町である。主人の話によると、つい一年ほど前までは、色町もかねたさかんな温泉郷だったのだが、独身者と浮気者とにはあまり都合のよくない法律が成立して以来、見る影もないほどさびれたという話だった。

ひる飯をすますと、すぐ小型のタクシーをたのんでもらって、兄妹は上の山に出かけた。山形の町をすぎると、坦々たるアスファルト路が一本、まっすぐに走っている。右が出羽丘陵、左が今日は雨雲にかくれてよく見えないが蔵王山である。

農家のかきね、学校の門には大きな花びらをもった白い花が咲いている。

上の山の町はすべての温泉町とおなじような町にすぎない。木細工のこけし人形や四角い菓子の箱をならべた店やパチンコ屋、射的場が細い道の両側をかこみ、そのむこうに旅館がならんでいた。

ついでだから母の志津とマーちゃんとに土産をさがしたいと巴絵は兄に言う。

母には南部鉄びんの小さいのを、マーちゃんには山形の農家の娘をかたどった人形を買って、

「こんな外人が上の山に来ておりませんでしたかね」

隆盛がたずねると、リンゴのようにほおを真赤にした女店員は、

「共同浴場に来とる外人さんかしらんねえ……」

共同浴場とは一人、二円さえ出せば町の人が朝でも夜でも入浴できる温泉なのである。ガストンならば共同浴場であれ、ノコノコ出かけるにきまっている。

「どこにいるのでしょうか」

「たしか星岡ホテルと聞いたけど」

町はせまいから、目に立つ外人はすぐ人のうわさになる。

兄妹はこの町で一番大きな星岡ホテルをたずねて失望した。外人は泊っていることは泊っていたが、仙台の大学の外人教師だということがわかったからである。

疲れて山形にもどった時はもう夕暮だった。

「荒木又右衛門」のホテイ様のような主人が玄関に立っていた。

「むだ足でしたろう」隆盛の話を聞く前に、この主人はもう結果を知っていた。

「あのねえ、昨夜、小姓町の木賃宿に泊った大きな外人があるそうです」

バスの車体をおいた地点からさらに五十メートルほど――

小林はレーンコートを頭からかぶって道から沼の岸の斜面をおりる。続いて遠藤とガストンの順でしとどに霧にぬれた草のなかに足を入れる。

二人のズボンは泥と雨とでベトベトに汚れていた。くさむらが尽きるとそこからは赤黒い地面である。沼の黒い水がなめるようにその赤黒い地面を洗っている。

「ここだ」

小林はひくい声でつぶやくと、遠藤の表情の動きに狡猾な目を走らせた。

「水面から木が出てるだろ、あの下だ」

小林の指のむこうには――なるほど霧のはった水面から、一本の枯木が突き出ていた。むかしここが沼になる前に茂っていたスギの木の一本であろう。今は樹皮もむけて、人間の肋骨のように青白い残骸を水の上にさらけだしていた。

「ここで見張っているから……」

遠藤はうしろをちょっとふりむいて小林に言った。「あれをとってきてもらおうか」

「わしがか……」小林は驚いたように肩をすぼめた。「わしのような老人には……とてもこんな冷たい水の中にはいれません。心臓が弱いんでな」

「あんたが心臓の弱いはずがあるものか」

遠藤は皮肉な笑いをうかべてポケットから手を出した。黒い危険な物体がその掌に握られていた。

「兄貴はここよりも、もっと冷たい牢獄のなかに入れられたのだぜ」

「わかっとる。わかっとるよ」

「じゃあ、はいりな、はいらねえのか」

小林は泥だらけの長ぐつに手をかけると、ネズミのような目をしばたたいて、あわれみを乞うように殺し屋を見あげた。

「ゆるしてくれ。なあ、遠藤さん……わしは本当に心臓がわるいんだ」

「おれの知ったことかよう」

「わしゃ……遠藤さん……」

二人をじっとながめていたガストンが、地面に腰をおろしたのはこの時だった。地面に腰をおろして、彼は自分のドタぐつのひもをときはじめた。

「なにをするんだ、ガス」

遠藤から不審そうにたずねられて、

「小林さん、年寄り。わたしはいります」

ガストンはヤツデのような足を水の中に入れて笑った。

「おお、冷たいね、この水。……エンドさん、なにさがしますか」

「木の下に箱がある」ホッとしたように小林は、「ナワをかけて引っ張ってくれ」

風がふいて霧が一層ふかくなった。水面に突き出た枯木もその霧のためにかくれる。ガストンの大きな体が、はじめはひざのところまで、それから腰のあたりまで、沼の水につかっていく。乳色のベールの中にその大きな体の輪郭も次第にぼやけていく。

この時、小林のネズミのように小さな目がガストンが岸辺にのこしたシャベルにジッと注がれていた。一方コルトを片手にした遠藤は、沼のなかのガストンの動きに気をとられて、一瞬、小林の気配から目を離していた。

大きな図体をしているくせにガストンは泳ぐことをほとんど知らなかった。山国そだちの彼は泳ぎといえば、小川のなかで水遊びをするほか、機会がなかったからである。

そして彼は沼の性質に気づかなかった。腰まで水がつかる地点にきて、はじめてガストンは足もとの地面が急にヌルヌルと変ったのを知り、それと共に両足が次第に泥の中にはまりこんでいくのにやっと気がついた。

あわてた時はもう遅かった。片足をあげようとすれば、もう一方の足が泥の中にふかくめりこむのである。

「足……」仰天した彼は声をあげた。

「エンドさん、わたしの足……」

だが霧が岸にいる遠藤の影を消している。彼も小林もどこにいるのか見当さえつかない。じっとしていると、足はますます泥の中に沈んでいくような気がする。もがけばもがくほど、抜きさしならぬ羽目におちいっていく。

遠藤はガストンが自分を呼ぶ大声を耳にした。残念なことには遠藤のいる所からは、棒立ちになったガストンのぶざまな姿は見えなかった。

コルトを持った手を口にあてて彼はガストンに怒鳴ろうとした。そしてこの時、地面に捨てられたシャベルを小林が素早く拾いあげる気配を感じとった。

ガストンに気をとられていた遠藤にはわずかな瞬間だったが心がゆるんでいた。この瞬間を利用してシャベルを持った小林は、その小さな体を弾丸のようにぶつけてきた。

「アッ」

年をとっていても相手は必死だった。湿った岸辺の地面にくつがすべり、遠藤は拳銃を手に持ったまま、横転した。

その手の上にガアン、にぶい音をたてて――

小林はシャベルをたたきつけた。コルトは血まみれになった殺し屋の手から水の中に落ちる前に、にぶい銃声を沼の上に響かせた。

「死ね……死にやがれ、死ね……」

次々とふりおろしてくるシャベルから身をかわしながら、遠藤は立ち上ろうとする。足場がない。左の肩に焼けつくような衝動を感じた時、小林の血走った顔が目の前にあった。

相手の足をつかんだ。つかんだまま腰に腕にシャベルの二撃、三撃をうけた。

立ち上った時は殺し屋の服は鋭い刃物で切ったようにズタズタに引き裂かれていた。そしてその引き裂かれた部分から血が腕や胸を真赤に染めてあふれだした。

二人は息づかいもあらく、しばらくの間、むきあっていた。左肩のきかなくなった遠藤は沼をうしろにして、右手だけをうしろに引きながら一歩、一歩、しりぞいていく。シャベルをかまえた小林は肩で息をしながら遠藤につめよっていく。

「エンドさん」

銃声を耳にしたガストンは両足を泥の中に入れたまま、声をかぎりに殺し屋の名を呼んだ。沼の上に風がふいて……霧をわずかだが反対側の岸に押しやった。そのわずかな空間の中に、ガストンはシャベルをふりあげている小林と沼に足を入れた遠藤の姿を見た。

「アアッ、アッ」

ガストンは思わず体を前に出して、せいさんな死闘がくりひろげられている沼の岸まで走ろうとした。

走ろうとする意志はあるのだが、泥にはまった足がいうことをきかぬ。重心を失った彼は、水の中に電信柱のように大きな音をたてて倒れたのである。

「アバ、アバ、ブク、ブク」

さしてふかくない沼だが、元来、平泳ぎ一つできぬ男であるから、したたか泥水までのんで、その馬面を水面から出した時は、空気を求めて浮かびあがってきた出目金のような顔だった。

夢中で手足を動かす。それが池に放りこまれた野良犬と同じような犬カキになって――うれしや――一メートルすすむ。二メートルすすむ。

「エン……ブク、ブク」

エンドウさあんと叫ぼうとして顔をあげるとまた、体は平衡を失って水に沈む。

「エン……アバ、アバ」

この間——

岸では遠藤と小林とは、肩ではげしくあえぎながら、互いににらみあっていた。水ぎわに落ちたコルトを素早く拾いあげようとして遠藤が動くと、シャベルを振りかざした小林が、それをとらすまいと飛びかかった。

ザクッ

遠藤が危うく身をかわすたびに、音をたてて振りおろされたシャベルは、砂の上にくいこんだ。力にまかせて小林がたたきつけるので、シャベルは刃物と同じような切れ味をもっていた。

遠藤は少しずつ水中に足を入れた。やぶれたズボンのひざがしらからも鮮血がしたたって、黒い沼の水面にインキのようににじむのである。

殺し屋の計算はこうだった。岸の地面はかたい。だから小林はたたきつけたシャベルをすぐ振りあげることができる。だが水の中では水面と水中の圧力で、相手の手の動きは必然的ににぶるはずである。この瞬間をねらって、体ごとぶつかるより手はない。

だが、あまり水の中に足を入れると、今度はこちらが身をひるがえすことができぬ。だから遠藤は岸から二メートルほどまで足を入れると、相手を血走った目でにらみながら、岸辺にそって右に移動して行った。

小林の顔にずるそうなうすら笑いが浮かんだ。むかし軍人だった彼だけに、敵がなにを企てているかを素早く感じたのである。

「死ね、死にやがれ」

無茶苦茶にシャベルを振りまわして、彼はコルトの転がっている浅瀬に少しずつ近づいていった。それをとらせまいとして遠藤は空気を切る円板を避けながら、小林のすきをねらった。

この時――

やっと岸近くまで泳ぎついた――泳ぎついたというよりははいあがったガストンが、大きな手をひろげながら、

「ダメ、ダメ。そのことダメ」

まのびのした大声を張りあげて二人の間に割りこんできたのである。

ガン

遠藤とちがって逃げることのできぬ彼の頭に、小林のシャベルがぶつかった。

重い鈍い音だった。

弁慶のようにガストンは両手をダランとさげたまま、仁王立ちになっていた。目をつむって傷の痛みに耐えているようだった。

気をのまれた小林も、ぼうぜんとした遠藤も、しばらくの間、棒のように突っ立っているガストンをぼんやりながめていた。

やがて――

真赤なものがガストンの頭からほおにかけてゆっくりと流れていった。だが彼は微動だにせず、顔もぬぐおうともしなかった。

一瞬、気をのまれていた小林はこの血を見て逆上した。初めて肉のきれはしをたべた猛獣が、人

間にとびかかるようにシャベルをふりあげ、はげしい一撃をこの大男に加えた。

ガストンの体がよろよろと動いた。小林はさらに狂気のように二撃、三撃を加える。彼にはなぜか、この大男がぶきみでたまらなくなってきたのである。

水音をたてガストンは大木のように沼の中に仰むけに沈んだ。

遠藤はやっと自分をとり戻していた。小林がガストンを片づけた瞬間、殺し屋は脱兎のように岸にとびあがった。ぬれた地面の上に落ちた拳銃は、素早く彼の右手に握られていた。

空気を切りながら小林がシャベルをふりおろした時は、すでに遅かった。

「小林さん」

コルトの黒い銃口をピタリとむけて、遠藤は途切れ途切れの声で、

「兄貴の……仇はうたせてもらうぜ」

「…………」

「シャベルを捨てな……水の中に、はいれ……」

「…………」

「自分の、墓ぐらいつくってもらいましょうか。あんたもみにくい体を見せたかないだろうからね」

小林の手からシャベルがポロリと落ちた。そのネズミのような目が大きく見ひらかれ、苦悶と恐怖で顔をゆがませた彼は、両手を前に出して大声をあげた。だがその動物の悲鳴にも似た声は、言葉にはならなかった。

「ノン」

「なんですって」

「ノン、ノン、ノン」

それは小林ではなかった。水の中から血まみれの馬面を河馬のように出して、ガストンが叫んでいるのである。

「ノン、ノン、エンドさん」

「…………」

ガストンは必死に首をふりながら、最後の力をしぼって哀願していた。

「わたしの……おねがい」

それから彼の河馬のように浮んだ顔は、ふたたび水の中にかくれていった。

「わたしの……おねがい」

乳色の霧がふきよせてきた。霧は水の中のガストンと、岸に立っている殺し屋と小林とをすっぽりと包みはじめた。

恥も外聞もなく小林はヘタヘタと地面の上にすわった。遠藤は拳銃をかまえたまま、最後の力で体を支えていた。

本当のところ、殺し屋にはもう、小林の姿がぼんやりとうつっているだけだった。小林だけではなく、霧がながれる崖やくさむらや樹木までがまるでレンズを動かしているように見える。

次第に失われていく意識のなかで遠藤は自分が引金にあてた指先を動かせばいいのだと思った。けれどもその指先はまるでノリをつけたように動かなかった。

（引け……引けばいいんだ）

頭の遠いどこかから、だれかが彼に命じている。

（引け、引くんだよ）

小林の目をつむったゆがんだ顔が、自分を見あげている。遠藤はすべての余力を指先にかけようとする。

「ノン、ノン……エンドさん」

この瞬間、水の中から、かぼそいガストンの声が耳につたわってきた。

「わたしのおねがい……」

その声はなぜか遠藤にはもうずっと——ずっと昔にきいた声のような気がした。だれの声かわからない。あの空襲の日、神宮の外苑で両親と一緒に焼け死んだ妹の声に似ていた。

（引け、引くんだよ）

「ノン、ノン、わたしのおねがい」

二つの言葉は彼の昏睡した頭のなかで入り乱れはじめた。遠藤は気を失ったままガストンのそばに倒れた。

小林はこの音に目をあけた。

今や、彼にとって思いがけないチャンスだった。シャベルを握る。ふりかざす。殺し屋の頭をスイカのようにたたきわるため、小林は水の中に足を入れた。

殺してもかまわない。相手はピストルで自分を脅かしたのだ。正当防衛だったという理由はいくらでも成立するのである。

けれどもこの時だった。

水中から、突然、傷だらけのガストンの顔が浮び上ったのである。

「ダメ！」声は沼全体にひろがるほど大きかった。そして友だちをかばうように、ふしぎなこの大男は、遠藤の体に両手をおいた。

シャベルを手にした小林は、仰天してガストンをながめていた。さきほどと違った恐怖が彼の背を走った。彼はクルリとうしろを向くと、ネズミのような速さで道の方に走り去った。

あとは静かである。

暗い沼は悽惨な死闘を忘れたように静まりかえっている。

時々、風が吹いてふかい霧が散り、時々風が吹いて、ふかい霧が集ってくる。

木々が身ぶるいをしながら枝の雨だれを払いおとすほかは、なんの音もきこえぬ。

しらさぎ

「荒木又右衛門」の主人によると昨夜、一人の外人と日本人とが小姓町の木賃宿にはいるのを見た男がいるというのである。

「近所の酒屋の店員なんですがね……その子の話じゃあ……日本人の方は真青な顔をして病人みたいだそうですよ」

「ほう……」

「外人はお客さんのおっしゃっていたのと、ソックリだ。相撲取りみたいに丈が高くて……ノッべりした顔をしてたそうです」

「それじゃあ、ガスさんだ」

「まあ、行ってごらんなさい」

小姓町は旅館からさほど遠くはない。歩いても十分もかからない。

隆盛と巴絵とは主人に教えられた通り、七日町の交差点を右に曲った。

歩きながら、ガストンに久しぶりで会えるのだと思うと、隆盛の心ははずんだ。

「ねえ、早く歩かないでよ」

「そうかね。どうしても足が早く進むんだから……仕方ない」

巴絵はそんな兄を見ると意地わるがしたくなった。わざと時々、足をとめて、

「お兄さま、見てごらんなさいよ。寺の多い町ねえ、山形って」

なるほど、そうにちがいなかった。古い武家屋敷らしい造りの家にまじって、もの静かな寺院の塀が右にも左にも見える。

「……あたしもここに住んでみたくなったわ。山形の人と結婚しようかしら」

「その件については、ガスさんに会ってから相談しよう」

「いやな感じ。ガストンさんぐらい、待たせたって、なくなるわけじゃなし……」

だが、二人が教えられた「ボタン屋」という宿屋をたずねてみると、巴絵の予想は全く反対の結果になっている。

「今朝早う、出て行かれましたぜ」

おシシのお面のように、金歯を口いっぱいにはめた宿のお内儀は、巴絵の頭から足の先までジロ

ジロ見つめながら、

「まだ、暗いうちに起きて……ありゃ、何時ごろじゃったかなあ……」

行先きは、わからないと言う。

宿賃はすっかり払って行ったし荷物も持たぬ客だから、もう戻って来ないだろうという話だった。

すでにたそがれだった。うすい夕方の光が小姓町の古い家の屋根を照している。

弟を背中に背負った小さな少女がお寺の塀にもたれて、子守歌を歌っている。

その子守歌の声を聞くと隆盛はなぜか悲しくなった。悲しいというよりは人生という言葉がふと心にうかんでくる。

「せっかく山形まで来たのに……」巴絵も少しおびえたようにつぶやいた。

「予感がするわ。ガストンさん……まさか」

「バカなことを言うんじゃないよ」

この時、うしろから自転車に乗って二人に大声をかける者がいた。

ふりかえると「荒木又右衛門」の主人だった。ふとったこの主人は息をはずませて自転車からとびおりると、

「大変ですよ。遠藤という殺し屋が大沼という所で見つかったそうです。たった今、警察からあなたたちに電話がありましてね」

久しぶりに見る真青な空だった。

さきほど山形駅をすべり出した上野行きの列車は、みどり色の湖のような村山平野のなかを時々、汽笛の音を高くならして、少しずつ速度をましはじめた。

あけはなした窓に涼しい風がながれこんでくる。農家の子供たちが汽車にむかって手をふっている。

隆盛と巴絵は窓にひじをついて真白な入道雲がわいている出羽山系をじっと見つめていた。あの真中にひときわ高く見えるのは白鷹山である。土地の人々が「虚無蔵さん」と呼んでいるお山だ。

（その虚無蔵さんの真下に大沼がある）兄妹は同じことを考えながら、金色の光にかがやいたこの山から目をはなさなかった。

あの日からなんと忙しい三日間だったろう。あの夕暮、「荒木又右衛門」の主人につれられて山形県庁裏の警察署にとんで行ったのだが……

係員の説明によると、その日の午前十時ごろ、郊外の東黒森山付近の沼で、水の中にピストルを握ってうつぶせになった若い男が発見された。最初に見つけたのは沼の近くの茶店のおやじだった。おやじはフナをつりに沼におりた時、五十メートルほど離れた岸辺に、少し小波にゆれている褐色の影を見たのである。山形から早速、刑事と警官がとんできた。ポケットにはいっていた手帳や手紙でこの青年が、東京の星野組の遠藤だということが、四時間後にわかったのである。遠藤はただちに山形の病院に運ばれた。

現場には相当はげしい格闘のあとがあった。幸い息を吹きかえした遠藤の体にもかなりの傷が残っていた。

「茶店の主人の話では、その朝ジュース三本を買いに来たレーンコートの男がいたそうで、目下このホシを捜査しとります」

机にむかった係員はしきりに首の汗をぬぐいながら言ったが、隆盛がガストンのことをたずねると、

「え、外人? 外人がいた形跡は今のところ報告はありませんな」

ふしぎだった。沼で発見されたのは遠藤だけだというのである。隆盛の詳しい話をきいた係員は、早速、書類にペンを走らせはじめて、

「じゃ、小姓町の木賃宿からたしかに遠藤とあんたの知りあいの外人とがその朝、どこかに出たというのですな」

「はあ」なれぬ取調べに隆盛はまるで自分が罪を犯したように、オドオドしながら返事をする。

「その外人が遠藤を殺そうとしたなんて、とんでもないことです。その点はぼくが絶対、保証します」

「まあ……いずれ、遠藤が意識を回復すればわかることだし、調べるのは警察の仕事じゃから」係員は少し皮肉な笑いを浮べて言った。「お気の毒だが、あんたたちあと二、三日山形に泊ってくれませんかな」

大沼には、その翌日の朝から小舟をだして水底のいたるところを調べてみたが、ガストンなる外人はもちろん、その持物らしいものも、なに一つ発見されなかったのである。

「ジュースを買った男と一緒に逃亡したとも考えられますな」

「冗談じゃない」翌日、また警察署に足をはこんだ隆盛は、さすがに顔を真赤にして、

「ガスさんは……いや、その外人は犯人の一人じゃないんです。ジュースを買った男につれて行かれたというなら話がわかりますが……」

だが三日目――まだ極度の衰弱状態にあった遠藤が病院で取調べの係官に、とぎれとぎれに告白した話はさらにふしぎだった。奇怪だった。

遠藤は自分がなにも知らぬガストンを伴って狐越街道をこえ、小林を大沼に案内させたことをみとめた。そしてガストンが自分を救うために傷つき、沼の浅瀬に倒れたことも言った。

「で、外人はどうしたんかね」

こう係官にきかれた時、遠藤は包帯をまいた首を痛そうにふった。知らぬのも無理はなかった。彼は気絶してしまったからである。

だがあの時、気絶してから――何十分ののち、ながれる霧がふたたび遠藤のほおをぬらした。かすかに目をあけると空の一角が青く晴れているのが見える。そしてその青い空にむかって、一羽のシラサギが真白な羽をひろげながら、飛び去っていくのがうつろな目にうつった。

おぼえているのはこれだけである。おぼえているといっても、この記憶はたしかではなかった。青空と白い翼をひろげたシラサギとは本当にこの目で見たようでもあり、幻覚か、夢であったような気もする。

それからふたたび遠藤は水に頭を半分沈めたまま、気を失ったのである。

ガストンはどこに消えたのだろう。

沼のなかには彼が死んだと想像させるものは残っていなかった。たった一つ、三日後に、沼に突きだした浅瀬に大きな古い上着が落ちているのが発見された。遠藤はこの上着がガストンのものだとみとめたのである。

それだけだった。それ以上は、重体のこの殺し屋から聞くことはきびしい係官といえどもできなかった。

ガストンは沼からはいだすと、救いを求めるために山道に迷いこんだのだろうか。それとも小林を追いかけるため、白鷹山の方向に道をえらんだのだろうか。それさえも皆目、今のところは警察にも、隆盛兄妹にもわからなかった。狐越街道にそった部落の人たちもこの街道の終る荒砥、長井の村人たちも、そんな異人さんの姿を見かけた者は一人もいなかったからである。

金色の風が列車の窓から吹きこんでくる。真白な入道雲のわいている出羽山陵をながめながら、隆盛は突然この山の頂きちかくをガストンがゆっくりと登っているような気がしてきた。帽子をふって……あの馬面に、間の抜けた臆病な笑いをうかべて、

「タカモリさん、わたし行きます」

「どこへ……」

「どこでも……人間のおりますとこ、どこでも……」

この隆盛の空想は、同じようにはおづえをついて山をながめていた巴絵の声によって破られた。巴絵の空想は兄のそれに比べると、もっと現実的であった。

「お兄さま、ガストンさん、東京に戻っているんじゃないかしら……ひょっとすると経堂の家に、もう着いているかもしれないわね」

隆盛はかなしそうに笑い、妹はいつになったらガストンのことを本当に理解するのだろうかと思った。

「あ、シラサギ」

そう……田んぼを飛びたった一羽のシラサギが、青空にむかってゆっくりと舞いあがって行く。

「ガスさん、さようなら」隆盛はそのシラサギにむかって小声でつぶやいた。

それは夏の日曜日の朝だった。あの春の日には白い花を咲かせていた庭のモクレンの木に、もう一匹のセミがとまって、午後の暑さを告げるように羽をすりあわせて鳴いている。隆盛は夏蒲団をけとばしたまま、ロースト・チキンのような格好で眠っている。

彼の夢のなかでは――

入道雲のわいている真青な空に出羽丘陵の山がつめたく鮮やかに浮んでいる。山はただの一つ一つのしわまでが手を伸ばせば届くかと思われるほど近かった。

その山をヘッピリ腰で登っているのはガストンである。ウンウンフンフン息をつきながら、まるで子供のように一生懸命に岩かどをつかまえ、木の根を握って一歩一歩、山頂にむかって歩いていく。時々足をすべらせてズルズルと転げては、

「ズット」

尻もちをつくたびに情けない顔をする。そしてまた起きあがり、登りだすのである。

その懸命さに、こちらから見ていた隆盛が思わず吹きだすと、気がついたかガストンはてれくさそうな笑いをその馬面に浮べて、

「おう、タカモリさんか」

「もうすぐだ。しっかりがんばれ」

やがて頂上までたどりついたガストンは得意そうに隆盛をふりかえる。意気地なしで弱虫で不器用なこの大男でも山の頂きまできわめることができたのである。

それからガストンは両手をあげてそれを鳥の羽ばたくように動かしはじめる。見る見るうちに彼の足は山頂からゆっくりと離れ、

ふんわり

軽気球のように浮びはじめる。片手で帽子をとってガストンは下で見ている隆盛に合図をするのである。

今やガストンは真白な入道雲の方角にとんでいく。その雲は七月の陽の光に金色にふちどられながら光っている。

「ガスさあん」

大声をあげて隆盛は真青な空に次第に小さくなっていくガストンに呼びかける。だが、しきりに帽子をふりまわしながら、相手は小さな一点となると、紺碧の空に吸いこまれていった。……

「よくカビがはえないこと……もう十時なのよ」

下からキンキンとひびく妹の声に隆盛は夢から目をさました。庭の樹木で鳴く油ゼミのやかましい声が耳にとびこんでくる。枕もとの煙草を一本口にくわえて隆盛は寝床におきあがり、あぐらをかいた。

（ガスさんはどこに行ったのだろう）

あれからもう一か月になる。だが、ガストンの消息はヨウとして不明なのである。

隆盛の部屋の床の間にはあのふしぎな外国人が残していったサックがそのままにおいてあった。信玄袋のようにひものついた大きな袋である。ガストンの荷物といえばこれ一つしかない。

（一体、ガスさんはなんのために日本にきたのだろう）

いろいろなナゾや秘密がこの袋の中にかくれているような気が隆盛にはしてくるのだった。

ミシ、ミシ、ミシリ

ネコのように足音をしのばせて巴絵が階段を上ってくる。足音をしのばせて部屋にとびこむなり、一挙に兄の蒲団を引っぱごうという策戦らしい。

いつもなら、すばやく飛びおきる。シャツを手にとる。いかにも前から目をさましていたような格好をする隆盛であるが、今日は妹の足音を耳にしても臆せず、動ぜず、煙草を口にくわえて腕ぐみをしたまま、じっと床の間を見つめていた。

「どうしたのよ、いったい……」

ガラリとふすまをあけて顔をいれた巴絵は平生とはちがって、兄がひどく真剣な表情でなにか凝視しているのに気がついた。

「お兄さま」

「うむ」

「何時だと思ってらっしゃるの」

「うむ」

「マーちゃんがもう一度、オミソしるをあっためなくちゃならないのよ」

「うむ」

「うむ……じゃないわよ。なにを考えてらっしゃるのよ」

巴絵の視線は兄のそれを追って床の間のサックにそそがれた。

「それ……ガストンさんのでしょ」と彼女は言った。

「そうだ」

「困るわねえ、いつまでもこのサック、家におきっぱなしなんて……ガスさん、いつになったら取りに帰るのかしら」

「さあ……」

「本当にあの人、どこに消えちゃったのかしら」

「青空のなか」

「なんですって」

「いや、なんでもない」隆盛はあわてて首をふった。

「なあ、巴絵、おれは彼の行先も行先だが、いったいなんのためにガスさんが日本に来たのか、いま考えていたんだよ」

「そうねえ」巴絵は兄のそばに腰をおろしてため息をついた。

「あたしも前から――ずっと、そのことふしぎに思っていたわ。一度、あの人に聞いてみたこともあったのよ」

彼女は手短かに、ガストンが山形に立つ夕暮、四谷のレストランで食事を共にしながら、この質問を彼にした時のことを説明した。

「そうか、で、彼、なんと答えた?」

「ふあーい」

「なんだって?」

「口の中にマカロニをつめこんでいるもんだから（はい）の代りに（ふあーい）と言っただけよ」

「なるほど、ふあーいか」

「このサック、あけて見ればわかるかも知れないわよ」

巴絵は隆盛が心の中で考えていたことをズバリと言った。兄妹はしばらくの間、じっとこの古ぼけた信玄袋にも似た手さげ袋に視線をそそいでいた。

いくら相手が自分たちの家に泊ったガストン・ボナパルトだとしても、その持ち物を無断で開くことは兄妹にはできなかった。

長い船旅に痛んだこのサックはそれから二週間のあいだ隆盛の部屋に鎮座していた。朝、目をさますごとに、隆盛はガストンの安全を祈りながらこのサックに目をやる。夜おそく帰宅した時も、まずながめるのはこの古ぼけた品物であった。袋のなかには、たしかにガストンについてのさまざまなナゾをとくものがあるような気がした。


そんなある日の午前――

F銀行貸付課の席で勤務中の彼に一人の客が訪れた。

「丸の内警察署の方ですって」

受付の女の子が少しおびえたような顔で知らせにきた。

「日垣さん、まさか悪いこと、したんじゃない？」

「人ぎきの悪いことを言ってくれるなよ」と答えかけて、隆盛はすぐガストンのことだなと気がついた。

不安と胸のたかまりを押えながら応接間の戸をあけると、いつかガストンを釈放してくれた見おぼえのある刑事が両足をひろげながら白い布をかぶせたソファーにすわっていた。

「こりゃ、どうも……」

「お仕事中、お邪魔します」

刑事は今日は黒いズボンに半ソデのシャツを着ていた。

「実は山形警察署からも連絡のありました例の外人のことですが」

「はあ……」

「全く行先きがわからんのです。遠藤や小林が逮捕された現在、あの外人は参考人ではなくなったんですが、ともかく行方不明になっとりますから……」

「そうですか」

「九州宮崎県でそのような大男を見たという情報もはいっとりまして調査中ですが……どうも人ちがいのようです」

ガッカリした隆盛が目を床に落すと、刑事は女の子が運んできた茶を音をたててすすりながら、

「大使館の方にも一応、経過は報告しときましたが、あんたら何か心あたりはありませんか」

「実は」と隆盛はツバをのみこんで、「本人の持ち物……持ち物と言っても古いサックをあずかっているんですが……」

翌日の夜、刑事が経堂の日垣家をたずねてそのサックを調べることになった。

隆盛と巴絵の見ている前で、肩はばの広いこの刑事は剣道できたえたらしい手を動かしながら、不器用にサックのひもをといた。

ツギの当ったシャツや下着、赤くさびたカミソリ、大きな首まであるジャケツやタオル——それから表紙のやぶれた歌の本と……それからシミのついた一冊のノート。

「横文字だが」刑事は困ったように言った。「あんた読めますかね」

隆盛も横文字にはあまり強い方ではない、だがこのシミのついたノートに書かれた言葉はたった二行だった。気をきかせた巴絵がフランス語の字引を持ってくる。文字はガスさんらしい下手くそなミミズのはったような字である。

「布教神学校に三度も落第した頭のわるいぼくだが……やはり日本に行きたい気持に変りがない……」

兄妹はだまって顔を見あわせた。

パン、パン、パン、パン、チン

パン、パン、パン、パン、チン

夢中で巴絵はタイプをたたいている。ネコのようにツンと小鼻の上向いたそのファニー・フェースが文字を追って右、左に動く。

シニョリーナ・ヒガキの机の上には次々と書類が運ばれてくる。だが、その書類は次々と彼女の手によってコッピーが作られ、ビュタフォコ氏の机に運ばれていく。

タイプを三十分うつと目薬を目に入れ、指をマッサージする。

お昼ちかくなると彼女は時計をチラッと見て、机の引出しから小さなトランジスターをとりだす。耳にレシーバーをあてがって、ダイヤルをまわし、今日の経済市況をきく。そしてこの次はどの株を買うかを素ばやく考えているのである。することに万事、むだがない。

「日垣さん。今度の土曜日、お暇でしょうか」

大隈青年が書類を運ぶような格好をして小声で彼女にたずねた。

「ギルマンのピアノが日比谷であるんですけど。……切符二枚、ぼく持ってるものですから」

「ええ、結構だわ」彼女は微笑して、「連れてってくださるの」

大隈はうれしそうにうなずきながら、そのイカナゴのような体を二つにまげて礼をする。

巴絵は自分が大隈と決して恋愛をしたり、結婚したりしない自信がある。大隈は彼女に気があるらしいが、絶対にボーイ・フレンドとしての限界以上を彼女は大隈にもだれにも許さない。映画や音楽会に誘ってくれるのは向うが勝手に申込んだのであり、暇ならばそれを受けないという方がおかしいと彼女は考えているのである。

「ねえ、例のフランス人の消息わかりましたか」

少し図にのった大隈青年はまだ巴絵の席から離れようともせず、話を続けようとする。

「ガストンさんのことならわからないわ……それより今、執務中ですからお仕事以外の話はあとにして頂戴」

「はい」

「ビュタフォコさんに見つかるわよ」

大隈がコソコソと逃げ出したあと、ふたたびタイプに手をおいた巴絵は指ならしのために、
ガストン・ボナパルト
という文字を紙の上に打ちつけた。

（おバカさん……）

おバカさんは本当にどこに消えたのだろう。ときどき、彼女の心にはあの長い馬面や人のよい笑い声や、口いっぱいにマカロニをつめこんで「ふあーい」と返事をした眠たげな声がよみがえってくる。けれども彼女の心からは少しずつそれらの思い出も薄くなっていっていることも事実だった。彼女はやがて自分の前に一人の男性があらわれる日のこともときどき考えている。その男性はガストンのような間のぬけたあわれな弱虫ではなく、たくましく、強くて、自分をグングン引っぱっていくような青年のような気がするのである。

今夜も渋谷の「お多福」でビールのびんを前におきながら隆盛は、ぼんやりとなにかを考えこんでは、手帳に鉛筆を走らせていた。

「なにをしてるんだ、日垣」

横で枝豆をたべていた同僚の飯島がその手帳をのぞきこもうとすると、

「よせよオ」

がらにもなく、顔を赤くして隆盛は手帳を内ふところに入れた。

「ウチの借金の計算でしょう、日垣さん」店の女中がおでんをサラにもりながら皮肉を言った。

「いいとこあるわよ、この人」

苦笑しながら隆盛は「お多福」のやぶれ窓から夜空を仰いだ。明日もまた晴れであろう、無数の星が飲屋の小さな屋根、屋根の上にきらめいていた。

いつかの真夜中、二階の窓辺でガストンと星くずをながめた思い出が、彼の心にうかんできた。

（ガスさんは消えたけれど）と隆盛は心の中でつぶやいた。（それでいいんだ。あの男は消えるべき人間なんだから……）

竹取物語の主人公のように空から来て空に戻った――隆盛は空想ではなく真実、ガストンの運命をそう考えるのである。

飯島と夜のハチ公広場でわかれると、いつものように自分の乗る電車の駅まで歩こうとした隆盛は、思い立って今来た道を戻りはじめた。久しぶりで、蜩亭老人の顔を見ようと思ったからだった。この渋谷の道はあの夜、隆盛がナポレオンの姿を発見して追いかけた場所である。やせた野良犬はガストンを必死でさがしながら、アチコチを走りまわっていたにちがいない。そのナポレオンも、もう死んでしまったのである。

ガードをくぐると、ロウソクの暗い灯の下で蜩亭老人が背をまげながら一人の女の手相を調べていた。女は首に包帯を巻いて、背中に子供を背負っている。いかにも生活につかれたような母親の姿だった。この夜、また日本には多くの人間が悲しんだり苦しんだり生きていた。

隆盛は電信柱のかげにかくれて、

（そう――ガストンもいつか、この電信柱のかげにかくれていたのだ）じっとその蜩亭老人を見つめながら呟いた。

（ガストンは生きている。彼はまた青い遠い国から、この人間の悲しみを背おうためにノコノコやってくるだろう）

解説

遠藤周作さんの「おバカさん」は、新聞小説の傑作である。単に新聞小説の傑作であるばかりではなく、処女作以来今日までの遠藤さんの作品のなかで、一番の傑作だといってもいいかと思う。つまり、遠藤さんは、新聞小説において、その資質と才能をはじめて十二分に発揮することのできた作家である。このことは、決して遠藤さんの不名誉ではない。自分の思想を、仲間内の擬似インテリにしか通じない言葉で語っているような作家が、作家として認められているのは日本の文壇においてだけである。一人前の作家は、決してひとりよがりな言葉では語らない。中学生、高校生にもそのまま通じるような、社会性のある言葉で語るものである。そして、本当に深い思想とは、決して難かしい思想のことではない。どんなに学問の足りない者の心にも、じかに浸みこんで来るような思想のことをいうのである。

この傑作の前に、遠藤さんは「海と毒薬」という長編小説を書いている。これは、戦争中九州大学におこった米兵の生体解剖事件を材料として、日本という「神のない風土」において果して「悪」は可能だろうかという問題を展開したものだといわれ、いくつかの文学賞を獲得した力作であったが、私はこの、いわばよそ行きのかみしもを着た小説よりも、普断着の浴衣がけというような、「おバカさん」のほうが好きである。「海と毒薬」は、日本人と神という一般的な問題について書かれた小説である。しかし、「おバカさん」は、日本人でもあり同時にカトリックの信者でもある遠藤さる。一方は頭で書かれている小説である。一方は心で書かれている小説であるが、もう一方は心で書かれている。私は、心で書かれた小説が好きである。いう人の、神を求める素直な心がそのままに生きている小説である。一方は頭で書かれている

遠藤周作さんという人は、大変茶目ッ気のある、いたずら好きな人である。この頃はやらなくなったらしいが、一時は「電話魔」という異名をとったほどで、女流作家のところにニセ電話をかけたりして、かならずしも罪がないとはいえないようないたずらを楽しんでいたこともある。都の清掃係になりすまして、便所の穴の数をもっともらしくたずねたり、今フランスから着いたばかりの大文豪になりすまして、ひとをかついだりするのは、得意中の得意らしい。こういう物まねの才能が、実生活の上に浪費されているだけでは、もったいない。作家というものは、小説のなかに、いろいろな人物を登場させなければならないので、いわば、いつも紙の上で老若男女さまざまな職業境遇の人たちの物まねをやってのけられなければならないのである。遠藤さんの物まね上手は作家としての強味であり、いつかこの才能を充分に発揮した小説が出ないかと思っていたら、「おバカさん」が現われた。つまり、この小説は、小説としての筋の面白さのほかに、作者その人の人間的な魅力をも兼ねそなえている。傑作というものはつねにそうしたものである。

ところで、フランス客船ベトナム号の四等船客として、信玄袋をひとつぶらさげてやって来たガストン・ボナパルト君とは何ものであろうか。一見、馬鹿にしか見えず、他人の言葉をいつも額面通りにうけとり、「イヌさん」をかわいがり、彼にとっては「イヌさん」と同じあわれな人間に見える肺病のインテリ殺し屋遠藤を救おうとして、遠い山形までついて行くフランス青年。そして、最後には、どこへともなく蒸発したように消えてしまう不思議な存在。彼はいったい何者だろうか。彼こそは、日本に再臨したキリストではないだろうか。もとより、作者はそんなことはひと言もい

っていない。カトリック臭い部分も、この小説では別に目ざわりになるほどではない。だが、彼の善意は、只の善意というには少々グロテスクなところがある。そういって悪ければ、人間ばなれのしたところがある。つまり、それだけ神聖なものを感じさせるのである。

神聖なものとは、いったい「きよらか」なもののことをいうのであろうか。そう考えるのは、西洋と西洋菓子屋の華やかさの区別のつかない、われわれ現代の軽薄な日本人の悪いくせである。神聖なものとは、クリスマスの晩の讃美歌のコーラスのようなものではない。それは神聖なものの、ほんの一部分にすぎない。本当は、それは、少々グロテスクなもの、かなり薄気味の悪いもの、要するに、人間の人間的な浅知恵では測り切れないようなもののことである。本場の西洋――ガストン君の故郷である欧州というところに行くと、そういう意味で神聖なものがいたるところにごろごろしている。そういう神聖さが、キリストという人間の形になって、この世の人々のなかにあらわされた、ということを信じるのが、キリスト教の信仰の根本であるが、ガストン君という人物にも、それに似たところがありそうである。隆盛には、その偉さがうすうすわかる。だが、巴絵はなまじ頭がいいだけに、なかなかわからない。人間の浅知恵の基準でいうと、頭のいい者がわかりが悪くて、たとえば渋谷のサー公のような淫売婦によくわかるというところに、神聖なものの認識ということにからむ価値顚倒の面白さがある。

「おバカさん」が、一見只のユーモア小説であるかのように見えながら、大部分の日本の近代小説にはないスケールの大きさを秘めているのは、そこに人間の基準にいわば垂直にまじわっている神聖なものの基準があるからである。日本のリアリズムの小説では、人物がいつもこの地上にへばりついているが、ガストン君は穴倉の中からあらわれて、空の彼方に消えてしまう。作者がどれほどそのことを意識しているかは知らないが、この人物がリアリズム一本槍の日本の小説に、爽快な風を吹きこませてくれたことは疑えない。そして、新聞小説でそのことがはじめて可能になったということは、日本の文壇に批評家が新聞小説をとりあげて文学的に批評するという習慣がなく、そのために作家がかえって大胆な冒険が出来るからであるかも知れない。そうだとすれば、遠藤さんも、新聞でだけではなく、文芸雑誌に書く小説にも、遠慮なくガストン・ボナパルト君のような人物を登場させてくれなければいけない。これは、傑作を書いてしまった作家の、ひとつの義務であろう。

しかし、この小説は、それほどバタ臭い小説ではない。遠藤さんという人は、ごくたまには酔余の武勇伝に及ぶこともあるらしいが、おおむね争いを好まない人である。悪くいえば、「まあまあ」といって物事をとりまとめるのが上手な親分肌であり、よくいえばごく常識円満な苦労人である。F銀行の行員である隆盛君のように、気取ったバアよりは縄のれんが好きなような日本的な男だといっても、さして事実と遠くはないであろう。そういう人柄が、ガストン君の絶対博愛主義を裏付けていて、このキリストを日本のキリストにしている。キリストにしては少々チャチではないか、少々常識的ではないかなどといってはいけない。今日の日本には、おそらく、これ以上のキリストを想像できるキリスト信者はいないのである。

面白さという点についていえば、この小説の面白さの大部分は、生き生きとした会話のなかにある。こういうところに、遠藤さんの物まね上手は、遺憾なくあらわれている。ガストンのあやしげな日本語と、巴絵のコマシャクレたお嬢さま言葉。薄汚い街の女たちのすれっからしの言葉と蝸亭先生の変てこな九州弁。それに殺し屋遠藤のヤクザ言葉。ところどころに効果的に出て来るフランス語。そのどれもが三分ぐらいインチキであって、そのためにかえって生き生きしてみえるから面白い。会話の間から、人物のひとりひとりの顔がうかんで来る。人物ばかりではない。「イヌさん」のあわれなナポレオンの姿まで浮かんで来る。作者は、殺し屋の真似をしたり、ガストン君の声色をつかったりして、のびのびと楽しみながら書いている。楽しみながら書いた小説は、不思議と楽しみながら読めるものである。「朝日新聞」の読者が、毎日次を待ちかねて楽しんだのも無理はない。

こういう、いい意味での家庭小説と、いい意味でのピカレスク小説の要素を、うまく融合した小説は、「おバカさん」だけではなく、もっと試みられてもよいと思う。私は、遠藤さんが、インテリ受けのする問題小説に力こぶを入れるのもよいが、それよりもかつて獅子文六さんが開拓した知的な、文明批評を含んだ多くの読者のための小説を、もっと心がけてほしいのである。最初にも書いたように、それは私が遠藤さんという人を、この国の作家にはめずらしく、生活のある言葉で語れる作家だと思うからである。

一九六二年七月

江藤　淳

おバカさん

遠藤周作

角川文庫 2137

昭和三十七年八月十五日　初版発行
平成五年十二月二十日　六十版発行

発行者――角川歴彦

発行所――株式会社角川書店
東京都千代田区富士見二―十三―三
電話　編集部（〇三）三八一七―八四五一
　　　営業部（〇三）三八一七―八五二一
〒一〇二　振替東京③一九五二〇八

印刷所――暁印刷　製本所――多摩文庫

装幀者――杉浦康平

え 2-2　　ISBN4-04-124502-8　C0193

角川文庫発刊に際して

角川源義

第二次世界大戦の敗北は、軍事力の敗北であった以上に、私たちの若い文化力の敗退であった。私たちの文化が戦争に対して如何に無力であり、単なるあだ花に過ぎなかったかを、私たちは身を以て体験し痛感した。西洋近代文化の摂取にとって、明治以後八十年の歳月は決して短かすぎたとは言えない。にもかかわらず、近代文化の伝統を確立し、自由な批判と柔軟な良識に富む文化層として自らを形成することに私たちは失敗して来た。そしてこれは、各層への文化の普及滲透を任務とする出版人の責任でもあった。

一九四五年以来、私たちは再び振出しに戻り、第一歩から踏み出すことを余儀なくされた。これは大きな不幸ではあるが、反面、これまでの混沌・未熟・歪曲の中にあった我が国の文化に秩序と確たる基礎を齎らすためには絶好の機会でもある。角川書店は、このような祖国の文化的危機にあたり、微力をも顧みず再建の礎石たるべき抱負と決意とをもって出発したが、ここに創立以来の念願を果すべく角川文庫を発刊する。これまで刊行されたあらゆる全集叢書文庫類の長所と短所とを検討し、古今東西の不朽の典籍を、良心的編集のもとに、廉価に、そして書架にふさわしい美本として、多くのひとびとに提供しようとする。しかし私たちは徒らに百科全書的な知識のジレッタントを作ることを目的とせず、あくまで祖国の文化に秩序と再建への道を示し、この文庫を角川書店の栄ある事業として、今後永久に継続発展せしめ、学芸と教養との殿堂として大成せんことを期したい。多くの読書子の愛情ある忠言と支持とによって、この希望と抱負とを完遂せしめられんことを願う。

一九四九年五月三日

角川文庫ベストセラー

つれづれノート②　銀色夏生
泡のようにわきあがり木の葉のように流れゆく日常の中の喜怒哀楽。

青月記　榊原姿保美
その凌辱するほどの激しい恋が、少年の生を妖しく輝かせる……。

不敵な男(上)(下)　清水一行
頭が良くて勘も良い。めっぽう女に強い男の痛快青春立志伝！

上司と部下の人間学　山田智彦
組織の中の人間関係を乗り切る最強の人心掌握術とは？

自分を活かす名言　堺屋太一監修
次元を超えた発想が、現状から飛躍するためのヒントになる。

死刑執行人の苦悩　大塚公子
知られざる死刑囚たちのその後に迫る――衝撃のドキュメント。